D1545491

la gloire
des filles
à magloire

Maquette de la couverture: Jacques Léveillé

Photo de la couverture et de l'intérieur: Photo Couthuran

«Tous droits de traduction et d'adaptation, en totalité ou en partie, réser-
vés pour tous les pays. La reproduction d'un extrait quelconque de ce li-
vre, par quelque procédé que ce soit, tant électronique que mécanique, en
particulier par photocopie et par microfilm, est interdite sans l'autorisation
écrite de l'auteur et de l'éditeur.»

ISBN 0-7761-0045-9

© Copyright Ottawa 1975 par les Éditions Leméac Inc.
Dépôt légal — Bibliothèque Nationale du Québec
3e trimestre 1975.

la gloire des filles à magloire

andré ricard

THÉATRE/LEMÉAC

La rançon de la gloire

Présentée pour la première fois dans le cadre de l'émission radiophonique Premières[1], *sous le titre* Le Solarium, La Gloire des filles à Magloire *monte maintenant, dans une version plus élaborée, sur la scène du grand théâtre. Après* La vie exemplaire d'Alcide 1er le Pharamineux et de sa proche descendance, *sa première pièce officielle, voilà qu'André Ricard nous offre une pièce toute différente, dans un lieu et un temps différents, avec une économie de personnages et de techniques dramatiques. C'est le drame d'une famille qui a perdu son père et qui doit chercher dans la prostitution la source de sa survivance.*

---

1. 11 octobre 1974, Radio-Canada F.M.

Drame de l'isolement et de l'orgueil de ces bêtes de vie, qu'éprouvent aussi durement que d'autres les peines d'amour et les jours maigres. Drame de la vie parallèle rendue possible grâce à l'animosité agressive des villageois canadiens-français et à la complaisance des Anglais de la compagnie. Paradoxalement, on a peine à croire que ces femmes, Paula, Renelle, Robertine, la Mère, tiennent une maison de plaisirs et vivent de leurs charmes. Car l'auteur s'attarde peu aux aspects croustillants de leur métier ; il se préoccupe du drame de leur vie quotidienne, lors des fêtes de la Saint-Jean de cette année 1948 : oubliées dans leur rang, loin du clocher qui les refuse, du boucher, de l'électricité et des parades paroissiales, femmes proscrites, rejetées et néanmoins présentes dans l'esprit de chaque homme du village.

André Ricard a trouvé le moyen d'entrer dans cette maison close aux bras pourtant bien ouverts. La livraison des blocs de glace de Ti-Beu sert de prétexte à l'ouverture de cet univers fermé. Et l'on voit alors que la vie intestine de cette famille n'est pas un paradis quotidien. Comme la famille d'Alcide, et Alcide lui-même en tête, tentait d'entrer à tout prix dans le cercle des bonnes familles honnêtes, même au prix d'escroqueries les plus flagrantes, la famille Magloire tente de forcer le petit village à la respecter, en oubliant sa morale facile et ses mœurs avouées. Il faut bien vivre, le père est mort. Dans les deux cas, l'empire familial risque de s'effondrer. Mais le jeu continue, et avec lui la farce de l'amour-propre humilié. Décadence d'une certaine grandeur par la grandeur de cette décadence.

La gloire de ces filles usées ressemble bien à une vengeance personnelle: le village baisse la tête sous l'ordre anglais, représenté fort pauvrement par Jos, et la parade de la Saint-Jean passe devant la maison. Ce sacrilège collectif du village qui se prostitue trouve son contrepoint dans le sacrilège personnel de Ti-Beu, qui s'empare de la pureté de la Zarzaise. Car, lorsqu'il viole la jeune fille, c'est au sacré qu'il s'attaque, au religieux, et non pas seulement à une jeune fille dont les lignes de vie ne croiseront jamais celles d'un fanfaron en mal de prouesses amoureuses. Ti-Beu viole la famille Magloire et donne une continuité tragique au geste ancien de son père, geste qui a coûté bien des larmes à Robertine. C'est le fils d'un dénonciateur qui maintenant pactise avec ces filles du péché, c'est le fils d'une génération de villageois hostiles qui maintenant vient annuler les chances de rédemption de cette famille. La pureté de la Zarzaise, la pureté jalousement entretenue par les autres filles à Magloire, la pureté qui ouvre, avec la folie, toutes grandes les portes du couvent, et de la miséricorde, cette pureté n'existe plus, le malheur, parallèlement au triomphe éclatant qui se manifeste devant la galerie, vient clore le cycle des filles: aucune n'échappe au destin des Magloire: le dernier espoir vient de recevoir le coup de grâce, Ti-Beu, dans un geste inconséquent, s'en est chargé. Gloire bien peu glorieuse que celle d'un bonheur de façade et d'un malheur de solarium.

Cette deuxième pièce majeure d'André Ricard vient confirmer son talent dramatique. Cette fois, au lieu d'articuler son intrigue en tableaux, ce qui dans Alcide Ier, provoquait par endroits un écartèlement

IX

de la structure dramatique, il a choisi une division plus simple et plus forte en deux actes, en deux journées, en deux forces contraires: le clan des Magloire, le clan du village. Mais il a conservé de son premier texte, en les perfectionnant, la même force d'écriture, le même respect envers ses personnages et leur langue. Car cette langue des filles à Magloire, si elle surprend un peu le lecteur à cause de son orthographe par moments «phonétique», ne vient pas ajouter du pittoresque au drame, elle l'encadre et en explique une partie: c'est le Québec rural des années 40, le Québec des filles de bordel qui vivent pour et par les Anglais. C'est une langue québécoise classique qui n'a pas de parenté avec le joual, phénomène socio-linguistique du prolétariat urbain. Langue merveilleuse, crue et imagée, qui n'empêche pas la création d'une zone de sous-entendus, d'échanges indirects et de propos équivoques qui laissent bien voir mais ne montrent jamais. Le langage est à l'image de ce lieu scénique: c'est un bordel où l'on n'y voit aucun contact physique, et c'est une langue qui vient créer un état-tampon entre les personnages de la maison et ce jeune intrus entreprenant au nom massif: Ti-Beu. Bordel relevé et pourtant coupable, langue épicée et pourtant correcte, pure.

C'est qu'André Ricard, dans les deux cas, avait la même ambition: il ne s'agissait pas de faire de cette pièce une défense et illustration de la vie d'une maison de filles et de l'amour vénal, non plus de donner un échantillonnage du parler québécois rural de 48. L'intérêt des filles à Magloire ne tient pas, on l'a dit, aux aspects croustillants de leur métier, mais au

X

drame de leurs vies personnelles et sociales, une fois
les clients oubliés. Car l'épisode a lieu durant l'absence de clients, lorsque ces femmes réparent leur corps et leur cœur pour la prochaine fête. De même l'intérêt du langage ne vient pas du pittoresque d'époque qu'il apporte à cette pièce, mais du support qu'il apporte à ces personnages de bout de rang. Il situe, dans le temps et dans l'espace d'ici, le monde parallèle de la prostitution de campagne. Coordonnées linguistiques sans lesquelles ce drame perd sa saveur et sa force.

Pièce intime, pièce d'émotions, pièce du bonheur malheureux, de la victoire décevante et déçue, un moment important dans la dramaturgie québécoise. On paie toujours la rançon de la gloire, les filles de cette famille viennent de l'apprendre.

PIERRE FILION

André RICARD, né en 1938 à Sainte-Anne de Beaupré, a poursuivi des études «classiques» chez les Jésuites, à Québec et des études en pédagogie, puis en Lettres à l'Université Laval. Il a ensuite fait le Conservatoire d'Art dramatique.

De 1957 à 1968, il a travaillé au Théâtre de l'Estoc dont il était l'un des fondateurs. Il y fut metteur en scène et directeur artistique. Il réalise ensuite des émissions radiophoniques pour la Société Radio-Canada, de même que douze d'une série de treize émissions d'une demi-heure, sur film 16 mm couleur, destinées à la télévision.

Il est l'auteur de plusieurs œuvres dramatiques pour la radio, dont la plupart furent mises en ondes par Michel Gariépy. Le Théâtre de l'Estoc a créé en 1963 *Le Triangle et le hamac*, pièce en un acte reprise l'année suivante au Théâtre de la Place (Place Ville-Marie). Une pièce en douze tableaux, *La Vie exemplaire d'Alcide 1er le Pharamineux et de sa proche descendance* a été représentée par le Théâtre du Trident en 1972, dans une mise en scène d'Albert Millaire; elle fut reprise, au printemps 1973 par Monique Lepage, avec les élèves du Conservatoire d'Art dramatique de Montréal. Cette même pièce a été éditée chez Leméac en 1973. Une pièce en un acte, *Rosalie*, fut également créée, en 1972, au Théâtre d'Été de Saint-Donat, dans une mise en scène d'Yvon Thiboutot.

André Ricard donne des cours à l'Université Laval depuis 1965 et au Conservatoire d'Art dramatique depuis 1968.

à André et à Sébastien

LA GLOIRE

DES FILLES À MAGLOIRE

PERSONNAGES

PAULA	20 ans
LA ZARZAISE	17 ans
RENELLE	25 ans
TI-BEU	17 ans et demi
JOS	la quarantaine.

DISTRIBUTION

Créée à Québec au Palais Montcalm, par le Théâtre du Trident, le 11 septembre 1975, dans une mise en scène d'André Brassard, des décors de Raymond Corriveau et des costumes de François Laplante.

La distribution, lors de la création, était la suivante :

PAULA	Marie Tifo
RENELLE	Michelle Rossignol
LA ZARZAISE	Léo Munger
TI-BEU	Louis Poirier
JOS	Denis Drouin

DÉCOR

L'action se déroule en 1948, dans un rang éloigné d'une paroisse nouvelle. Elle a pour cadre une maison située en bordure de la forêt.

Le lieu scénique, multiple, représente cette maison, vue de l'arrière. L'éclairage viendra cerner les espaces successifs de jeu, dont le principal est constitué d'une galerie couverte, appuyée au mur arrière de la maison. On communique de l'une à l'autre par une porte, au centre. La galerie couverte, fermée l'hiver par des châssis vitrés, n'est présentement séparée de l'air libre que par des moustiquaires.

Une porte, également en treillis métallique, conduit vers l'extérieur. Elle ouvre sur un perron à rampe d'où partent des cordes à linge. Puis quelques marches en bois joignent le perron au sol, lui-même partiellement revêtu de planches, de façon à former un trottoir qui mène, du côté de la façade principale, à la route.

La galerie-solarium sert de débarras. Elle est encombrée d'un canapé de jardin en bois, suspendu à des chaînes, de valises, de cartons à chapeaux, de bicyclettes de filles... Elle sert aussi de buanderie. La pénombre qui y règne permettra en effet de distinguer une lessiveuse électrique en marche flanquée de deux grands paniers en vannerie. Quelque part, on aperçoit une table. Puis l'œil découvrira les fenêtres qui percent le mur de la maison. L'une est de proportions ordinaires et ses deux battants sont grands ouverts. Des bruits et des voix nous en par-

viennent, de même d'ailleurs que de l'autre, à l'occasion, qui est petite et juchée haut dans le mur de briques rouges.

*Quand monte la lumière, il semble n'y avoir
personne en scène...Temps rythmé par la lessiveuse. De la maison s'échappe une mélodie au
piano automatique. Une voix de femme chante
en français. Une voix d'homme, en anglais, et en
déchiffrant les paroles. Interruptions et rires.*

LA VOIX DE FEMME — Envoèye donc! Si t'arrêtes
de pédaler pour charcher es mots, on perd la
mesure!

*La mélodie reprend, et les voix qui chantent.
Par l'escalier extérieur entre un jeune homme.
Il siffle l'air du piano qu'il a tout de suite reconnu.
Il a longé toute la galerie dont on peut voir les
pilotis tomber parmi d'innombrables bouteilles
vides. Il marche un peu penché de côté car il
porte un bloc de glace qu'il retient par une pince
de métal. Il frappe à la porte de moustiquaire...
pas de réponse. Il s'essuie le front avec sa
manche. Sa chemise est tachée de sueur dans le
dos et aux aisselles. Au bout d'un moment, il
entre et se dirige vers la porte de la maison.
Il tourne la clef de la sonnette et attend...
Pas de réponse. Il sonne à nouveau. Le piano
s'arrête, de même que la voix qui chante en
anglais. La voix de femme continue.*

5

LA VOIX D'HOMME — Hey! D'ya hear that, pet?
There's somebody ringing at the back door.

*La voix de femme s'interrompt. La porte s'ouvre
et une fille, jeune et belle, paraît dans le chambranle. Elle semble aussi avoir très chaud car
elle a quitté robe et souliers et n'est vêtue que
d'une combinaison de satin clair.*

PAULA, *en reconnaissant le livreur de glace* — Eh!
Ben? Tu sais où ce qu'est a glaciére?

TI-BEU — Ej voulais vous demander... c'est ben vrai
que vous en voulez quatre blocs?

PAULA — La mère t'a dit d'en amener quatre?

TI-BEU — Ouais...

PAULA — Ça fait qu'amènes-en quatre! (*Elle va re-
fermer la porte, mais la rouvre aussitôt et se
penche dans la galerie.*) A l'est pas là, elle, donc?

TI-BEU — Qui?

PAULA, *inspectant de l'œil le solarium, aperçoit le
regard de Ti-Beu rivé à son décolleté* — C'est
qui vous rend es yeux croches de même, Monsieur
Chose?

TI-BEU, *passant la main sur ses yeux comme pour
se remettre d'un éblouissement* — M'a semblé voèr
comme deux pardrix blanches lever du même
coup...

PAULA — La chaleur vous fait des accroères, ej
dirais.

TI-BEU — Des belles accroères, en tous es cas.
Quel quantième la chasse ouvre, donc, c'te
année...?

PAULA, *croisant les bras* — Dans semaine des quat'
jeudis.

6

TI-BEU — Ouais... Dans ce cas-là, va falloèr que je continuse à mettre da plume d'oie dans mon litte.

PAULA — Prenez donc de la dinde: c'est pas blanc, mais c'est moins rare dans vot'boutte.

Elle lui tourne les talons.

TI-BEU, *pour la rattraper, désignant la lessiveuse —* Cout' donc, c'est pus qu'un beau morceau que vous avez eu là?

PAULA — Ça te fat rien? Pis ça marche... en petit Péché! *(Elle s'accote fièrement à l'appareil.)* El linge rentre sale d'un bord, pis y ressort de l'autre ben net. *(Elle indique successivement la cuve et les rouleaux à essorer.)*

TI-BEU, *avec admiration —* Pas de zigonage, hein?

PAULA — Non, monsieur!

TI-BEU — C'est de même que j'aime ça, moé itou.

Paula le regarde.

LA VOIX DE RENELLE, *depuis la cuisine —* C'est-y le saoûlon à Giguére? Je veux pus y revoèr la sainte face icitte!

PAULA, *fort, en direction de la grande fenêtre —* Comment, Giguére?...

LA VOIX DE RENELLE — El vieux tornon! j'y fais a demande d'une demi-douzaine de poules... vidées. Y m'es amène plemées ben jusse.

TI-BEU, *examinant de près la machine —* L'estricité, un coup rentrée dans méson, pus moyen de s'en passer! Vous allez vous demander comment ce que vous pouviez toute faére à mitaine.

PAULA — On a-t-y de l'aèr plus ariérées qu'au village? *(Plus bas.)* Aye!... Nous as-tu vu el vire-vent que la mére a faite grimper su'a couvarture?

7

ᴛɪ-BEU — Demandez pas: on le voét de sus Philorum
Bécotte!

PAULA — Bon ben, en plus de virer du courant pour
la laveuse, c't engin-là nous pompe de l'eau dans
une cuve au grenier!

TI-BEU, *impressionné* — C'est pus que des aman-
chures!

*Paula se dirige vers un évier à robinet, quelque
part près de la lessiveuse.*

PAULA — Veux-tu un verre d'eau?

*Elle ouvre le robinet, et lui tend un verre plein
d'eau.*

TI-BEU — Esprit saint! Vous êtes rendues un vrai hôtel!

Il boit de l'eau.

PAULA — On s'est faite installer c'te grément-là a
semaine passée. (*Elle a un petit rire.*) Mais...
faut rire, encore, c'est trop mourant: el jour
qu'y sont venus installer le vire-vent y ventait
pas. (*Elle rit encore.*) Ça fat que... On monte se
coucher, le soèr, comme d'accoutume...

TI-BEU — ...vos priéres faites...

PAULA — Ouais, jamas qu'on manque nos dévotions,
nus autres... — Ben, c'est pas ça! Au beau
milieu da nuitte on se réveille: la cuve nous
débordait su a tête! (*Elle rit.*)

TI-BEU — Tâchez donc!

PAULA — Devine quoi?... Robartine avait oublié d'y
farmer le pompage au vire-vent! Y se met-y
pas à venter, tard dans soèrée... Pompe, pis
pompe... On s'est ramassés comme au déluge!

8

Ils rient.

TI-BEU — Paraîtrait que le vrai confort, là, dans une maéson, c'est comme y ont au Townsite : l'eau chaude dans champlure.

PAULA — La tinque à l'eau chaude, inquiète-toé pas, ti-gars : a s'en vient, pis en grande.

TI-BEU — Arrêtez donc ?

PAULA — On aime être à mode, nus autres. (*Arrêtant la machine à laver.*) A va nous brûler le moteur, si a fat pas attention. (*Elle scrute les alentours. À Ti-Beu.*) Aye ! Ergâr-moé a flaque d'eau su'le prélart. Tâche qu'y en reste pour a soèr, on a du monde.

Elle ferme la porte. Mais Ti-Beu met son pied et la pousse.

TI-BEU, *désignant son bloc de glace* — Si c'est pour faére des morceaux avec, je peux reviendre vous donner un coup de main.

PAULA — On est assez de même. Et pis la Zarzaise est pas pire sur le pic.

TI-BEU — Moé itou, je sus pas pire su'le pic... si vous voyez ce que je veux dire.

PAULA, *s'exclamant* — Mouais ! C'est à croère ! Ça a pas le nombril sec, chose !

Ti-Beu ouvre son poing gauche au-dessus des seins de Paula. Celle-ci comme si elle avait le souffle coupé, se plie en deux au grand amusement du garçon.

TI-BEU — En v'là da glace, z'en voulez ?

PAULA, *se redressant et chassant les gouttes avec ses mains* — Ah ! velimeux, toé. Tu peux ben rire. (*Elle le regarde, et rit aussi.*)

TI-BEU, *riant encore* — Jamais vu un motton de glace fondre de même.

Il souffle dans sa main gauche. Le piano automatique reprend.

LA VOIX D'HOMME — Paula ! Come on ! Who's there ?

PAULA, *touchant un macaron en tissu à la boutonnière du garçon* — Où c'est que tu vas ? Décoré comme un communiant !

TI-BEU, *soulevant fièrement le macaron avec le pouce* — Ej gage que vous avez pas le vot' ?

PAULA — C'est-y ben grave ?

TI-BEU, *retire son macaron* — Mon idée que su'vous, y paraîtrait encore mieux.

PAULA — Fais attention que je peux le garder.

TI-BEU — Gênez-vous pas. On nage dans es tagdays che nous ! (*Il pose son bloc de glace sur le canapé de bois.*) Moé pis le bonhomme on n'a vendu su' le perron d'église dimanche passé. En seulement, pour vous... y est gratis. (*Il tend les mains vers elle pour le lui épingler.*)

PAULA, *tâchant de le lui prendre des mains* — Laisse donc faère, je vas me l'accrocher moé-même.

TI-BEU — A'vous peur que je vous pique ?

PAULA — Je sus ben craintive. Donne. (*Elle attrape le macaron, prolongé d'un ruban.*) El gros 25, dans le cœur du chou, c'est-y da peinture à l'huile ?

TI-BEU — Aye ! El gros 25, pis le nom da paroèsse... ? C'est sorti des bureaux du moulin tout ben étampé : restait rien qu'aux femmes à coudre el chou su'le ruban. C'était déjà une moyenne job !

Il tire un autre macaron de sa poche, et l'épingle en place du premier.

PAULA — A soèr el feu, demain a parade, dimanche el pageant du vingt-cinquième anniversaire... Aussi ben dire la bastringue trois nuittes d'affilées.

TI-BEU — Ouais, mam'zelle: ça c'est la vie!

Il reprend son bloc de glace, essuie le canapé avec un large mouchoir.

PAULA, *sérieuse* — Es-tu dans parade demain?

TI-BEU — Non.

PAULA — Moé non plus. (*Un court temps.*) Sais-tu que j'aurais pas haï ça?... Y m'ont demandée pour Évangéline...

TI-BEU — Aye! Wô, là!

PAULA — Ben, si je te le dis!

TI-BEU — Aye! Évangéline?

PAULA — Pourquoi pas? Je manquerais-t-y d'agréments?

TI-BEU — Nenon, pour le sûr!

PAULA — Eh! Ben?

TI-BEU — C'est a maîtresse d'école qui va faére Évangéline.

PAULA, *approuvant non sans réserves* — Y a pas de soin...

TI-BEU — Mam'zelle Bolduc. Est pas vilaine non plus.

PAULA — A tombe en vacances demain. Plus d'adon, ça se pouvait pas.

TI-BEU — Je vous arais donc faite vot' Gabriel!

PAULA — T'es un capable, toé!

TI-BEU — Ça sera pour a prochaine!

11

PAULA — T'as dû savoèr qu'y avaient demandé mes sœurs pour qu'y aédent à attifer le monde en ancien temps?

TI-BEU — Ah!... Leu-z-en faut de l'aède... Rien que le char du moulin à papier est deux foès long comme ici-dedans.

PAULA — «Vous êtes bonnes des scéances» qu'y sont venus dire à mére. «Voudriez pas grimer es ceuses qui vont faére les-z-Hurons pis les Iroquois?» A l'a été oubligée de leu dire non, pareil comme nus autres. El grand ménage était pas faète... Rendu le mois de juin!

TI-BEU — Bah! Faut ben queques espectateurs itou!

PAULA, *en se moquant* — C'est pas bête, ce que vous dites-là, vous.

TI-BEU — Quiens! (*Il se frappe la tempe avec l'index.*)

PAULA — Si je serais vous, c'est pas mêlant, je me présenterais député! (*Avec un sourire aimable, plus bas.*) Be-baye! (*Elle ferme la porte et, presque aussitôt, paraît dans la fenêtre ouverte.*) Si vous restez piqué là avec vot' glace qui dégoutte, mon blanc-mange pognera pas pour souper. (*Elle quitte la fenêtre et on l'entend encore crier.*) Lucile! Aye, cout' donc la Zarzaise est-y après faére les chambres avec toé?

Ti-Beu, après avoir trébuché dans un tas de linge, se rend à l'armoire froide, l'ouvre et pose dedans son bloc de glace. Puis il entrebâille les autres portières qu'il referme aussitôt.

TI-BEU, *dirigeant la voix vers la grande fenêtre* — Sacréyé! Y a de la biére là-dedans pour un moyen pique-nique ! Où c'est que m'as trouver a place pour mes quat'blocs ?

Renelle arrive subitement dans la porte et, surprise, regarde un moment Ti-Beu par la vitre, sans qu'il s'en doute.

RENELLE, *clenchant la porte* — C'est que vous faites dans glaciére, vous ?

TI-BEU, *sursautant* — Ben... j'y rentre da glace, c'te affaére.

Renelle descend dans le solarium. Elle est aussi belle que Paula, et plus consciente de sa beauté. Elle porte une blouse sans manches sur un pantalon, et garde les poignets tendus devant elle.

RENELLE, *cherchant des yeux* — Paula !

Elle se penche en avant, se rend jusqu'au perron. Paula apparaît derrière Renelle, sur le seuil. Elle est en train de défaire ses cheveux qu'elle portait relevés.

PAULA — Tu me charchais ?

RENELLE — Les Sovages sont à porte d'en avant avec leus siaux pleins de poésson... On n'en prend-y ?

PAULA — C'est da truite, ou ben encore des goujons pleins d'arêches ?

RENELLE, *plissant le nez* — J'ai pas trop regardé...

PAULA, *soudain* — Aye ! Y auraient-y de la viande de bois ?

RENELLE — Ça pas de l'aèr.

PAULA — Ouais... C'est tejours ben pas à nus autres de montrer aux bûcheux pis aux protestants à faére maigre el vendredi.

TI-BEU — Vous allez dire que c'est pas mes ègnons mais euh... Y a pas de goujons dans riviére Mascouabina. Ça doét être de la loche.

PAULA — Appelle ça comme tu veux, chose, c'est pus mangeable un coup es grands chaleurs pognées. (*Fort, dans la porte de la maison.*) Jos!... Renvoèye les petits Sovages. Tell them to come another time.

Le piano s'interrompt.

RENELLE, *regardant Ti-Beu du coin de l'œil* — C'est a journée des pèdleurs?

PAULA — Y passe pour a J.E.C. Guy donnes-tu de quoi?

TI-BEU — Aye, là! Je sus pas plus jécisse que vous êtes tertiaères.

PAULA, *à Renelle* — El nouveau commis de sus Chabotte.

RENELLE — Ah! C'est lui ça? (*À Ti-Beu, avec plus de considération.*) — Faut se lever de bonne heure pour courir du Pioché jusqu'icitte!

TI-BEU — C'est une bonne trotte. Mais je l'ai ben manque faite avec el pére.

RENELLE, *à Paula* — Me semblait que Chabotte-laglace avait pas de garçon?

PAULA — C'est le fils au boucher, Renelle!

RENELLE, *à pic* — Y a-t-y jamais offert sa viande icitte, el boucher?

PAULA — Foule pas! Rendu Chevalier de Colomb!

RENELLE — Comme si y avait que les ceuses qu'ont sauté le bouc pour faére el détour devant che nous!

Elle regarde Ti-Beu.

PAULA — De même, tu replaces pas not' ébarlué?

RENELLE, *poussant Ti-Beu par les épaules* — Viens donc te mettre dans le revolant de lumière, là... (*Elle le dévisage.*)

PAULA — T'en souviens-tu? Avant es chanquiers d'été, quand on surveillait a ronne de viande, dans le rang...

RENELLE — Sainte-Anne du Nord! On se morfondait-y assez pour ça?

PAULA — On bayait aux corneilles la moètié du temps! À regarder sauter es siffleux dans leus trous.

RENELLE — C'est ben que trop vrai!... Avec Robartine dans le hamac qui nous lisait es romans-feuilletons du *Pionnier*...

PAULA — Pauvre Robartine! Les jeveux y traînaient à terre, nèyée dans es sentiments!... Pis d'un coup, el petit cheval caille arrivait en haut da butte...

RENELLE, *elle siffle* — El gros évanement da journée! Y arrêtait sus Bécotte... pis y erpartait vers che nous. (*Commençant de se souvenir.*) Tu veux dire... Y se trouvait dans barouche, lui.

PAULA — Y était pas un peu là? Assis au ras son pére, les yeux grands comme des piasses...

RENELLE, *claquant des doigts* — C'est-y bête! Ça me revient. El vieux phoque était jouqué su'le banc, de crin, rouge comme de la forçure, avec les cordeaux ben raides...

PAULA — Pis à côté... y avait cti-là!

RENELLE, *riant* — Ouais, monsieur! Parlons-en! La voèture était rendue sus Mathias Godbout, que lui, y envalait encore les mouches à regarder a méson.

PAULA — Y se dévissait a tête, c'est pas mêlant!

15

Elles rient.

TI-BEU, *à Renelle, en imitant le geste figé de ses poignets* — Cout' donc, c'est-y des stiquemates que vous avez dans pome des mains?

RENELLE — Comment des stiquemates?

TI-BEU — Comme l'Allemande qui se fat poser dans gazette à tous es dégels... On est a veille da Saint-Jean-Baptisse, là, on est pas le Vendredi Saint.

RENELLE, *à Paula, désignant le canapé de bois sur lequel se trouve un tablier.* — Passe-moé donc le tablier par-dessus a tête. (*Paula s'exécute et le lui noue derrière la taille.*) On serait le Vendredi Saint, mon pitou, j'arais pas plus de stiquemates que je n'ai là. Mais toé, par asampe...!

TI-BEU — Comment ça, moé?

RENELLE — À veille de Pâques, dans maéson sus Magloère?

TI-BEU, *bravache* — Ouais, pis après?

RENELLE, *s'essuyant les mains au tablier, à Paula* — Robartine est-y descendue dîner?

PAULA, *fait signe que non avec la tête* — Lucile y a monté son cabaret.

RENELLE, *à Ti-Beu* — Après, chaèr? El curé refuserait de t'entendre en confession. C'est pus es stiquemates da Pâssion que t'arais: c'est à rose noère du péché mortel... étampée en plein dans le front!

PAULA — T'avais dans l'idée que Robartine te vide tes poulets, hein?

RENELLE — Je sus pas pour y demander ça si a garde la chambre. (*Désignant Ti-Beu.*) Y nous es nettoè-

yerait pas? Son père est dans viande; y doét
savoèr vider une poule.

TI-BEU — Ouais. Ça pis d'autre chose.

RENELLE — Y se prend-y pour un matou, cti-là?

PAULA, *secouant sa crinière dénouée* — Cours apras:
tu vas voèr détaler le chevreux. — Ouais ben ma
poche de patates se trouve épluchée. Me reste
pus rien que le dessert de dimanche à mettre
en branle.

RENELLE — Chancheuse!

PAULA — Écoute un peu: depus que mômam est
partie à matin que je sus dans c'tes patates-là,
toutes jarmées. (*Regardant Ti-Beu.*) Mon idée
qu'y est mal pris avec sa glace, lui. Montres-y
où a mettre. (*Elle se rend à la porte de la maison.*)
Je m'en vas te prendre un de ces bains qui finis-
sent pus, avec de l'huile Familex dedans...!

Elle rentre.

RENELLE, *à Ti-Beu* — El long du mur, là, après
a glaciére...

TI-BEU, *se rend à l'endroit indiqué* — Ouais...?

RENELLE — Y a une maniére de bahut...

TI-BEU — Ouais...

RENELLE — Ouvre-lé.

TI-BEU — Bondance! Encore de la mangeaille?

RENELLE — Deux blocs là-dedans, deux blocs dans
glaciére. Correct?

Elle va s'en aller.

TI-BEU — Y a plein de glace fondue en dessour da
grille de bois...

RENELLE — Penche-toé dans le milieu, tu vas voèr un bouchon... Tu tires el bouchon, l'eau s'en va direct en dessour du solarium.

TI-BEU, *après avoir exécuté la manœuvre* — C'est-y ben pensé à vot' goût?

RENELLE — C'est le pére qui nous a patenté ça à sa darniére vesite.

TI-BEU, *étonné* — El pére che vous?

RENELLE — Dans le temps qu'y venait. On est comme un nique d'abeilles, nus autres: el taon reste jamais ben ben longtemps.

Elle va vers la porte de la maison.

TI-BEU, *penché dans le bahut* — Y a une planche qu'est apras se déquelouer: el brin de scie va couler dans tête fromagée.

RENELLE — C'est pas neu, comme de raison.

TI-BEU, *toujours dans le coffre* — A'-vous un marteau?

Il se relève, et constate que Renelle est partie. Abandonnant le bahut, il revient vers la porte qui mène à l'extérieur, trébuche encore dans le tas de linge qu'il repousse du pied, puis redescend les marches et disparaît en longeant la galerie. Le piano s'interrompt.

LA VOIX D'HOMME, *se rapprochant* — Hey! Paula! They said you were s'pposed to stay with me. Where the hell are you?

LA VOIX DE PAULA, *depuis la petite fenêtre qui se ferme* — I'm gonna take a bath!

Jos paraît dans l'embrasure de la porte, dirigeant sa voix du côté de la salle de bains. Il est corpulent, couperosé, et paraît d'un certain âge.

18

JOS, *rabattant ses bretelles* — D'you want me to come with you?

LA VOIX DE PAULA — Apporte rien que l'eau chaude, chaèr, ça va faère.

JOS — L'eau chaude, eh? Where is it?

LA VOIX DE PAULA — Devine!

JOS — On the stove?

LA VOIX DE PAULA — Pas su'le piéno, j'crés ben!

Elle sort de la salle de bains vêtue d'une robe de chambre, bute contre Jos, et descend dans le solarium chercher un citron dans la glacière.

JOS, *la suivant pas à pas* — What was it you told me? (*La citant.*) Que si je demanderais à que-qu'un des voèyageurs au moulin de ramener des fraèses, tu me ferais des petites attentions. Well, el gérant de la maintenance... brought back vingt-quatre câssots, pis tu me laisses encore moèsir à porte...

PAULA, *tranchant son citron* — Les fraèses sont belles en grand: and if I said it, I said it. Mais là, mon loup, I'm in a hurry. Tu trouverais-tu ça drôle de me regarder me limer es ongles, pis me nettoèyer es taches de patates...? Bon ben ap-porte-moé es vaisseaux d'eau chaude, là. Tu le regretteras pas si t'es fin.

Se frottant l'intérieur des mains avec le citron, elle rentre, et disparaît par le couloir sur lequel ouvre la porte de la maison.

JOS — It's always me that gives in.

Jos entre à son tour dans la maison. On le verra aller et venir, par la fenêtre puis par la porte, transportant les récipients d'eau.

Ti-Beu revient, portant un deuxième bloc de glace au bout du bras. Cette fois, il se penche et de sa main libre, il repousse le linge qui encombre le passage. Il demeure soudain comme interloqué.

TI-BEU, *après un moment de grande surprise* — Scusez-moé, je vous avas pas vue. (*Il se redresse et demeure immobile près du tas de linge. Un temps. Il se penche à nouveau comme pour être sûr qu'il a bien vu.*) Ben quoi? J'ai pas fait exiprès! (*Pas de réponse. Il va porter son bloc de glace dans l'armoire, et revient.*) Ça serait-y que je vous arais estropiée en pilant su'vous?

Un temps bref. Il passe, et sort en se retournant, préoccupé.

LA VOIX DE PAULA — Aye! Renelle! J'avais dessein de me laver es cheveux, tu sais pas où ce qu'est a Zarzaise?

JOS, *à sa corvée d'eau, chantant* —
Ramona!
Tu pues des pieds
Tu sens l'tabac,
Ramona...

Bruits d'eau en provenance de la salle de bains.

PAULA, *dans le couloir, au dernier plan* — C'est bon, Jos. Y aurait encore el bâleur a transvider, si c'est pas trop pour toé.

JOS, *qu'on voit revenir sur ses pas* — You're the boss, blondie!

Paula disparaît. Pendant ce temps quelque chose remue dans le tas de linge, qui s'avère peu à peu ressembler à une forme humaine. Le livreur revient avec un troisième bloc de glace.

LA VOIX DE PAULA — Lucile! Jette-moé donc es draps dans es marches!

JOS, *chantant* —
Ramona!
Tu pues des pieds...

PAULA, *qui s'avance dans le couloir, les bras chargés de linge* — Aye! Jos! Cut it out, okay? (*Pour elle-même.*) Faut-y être commun! Y a des Anglas qui ont pas plus d'allure que leus lumber jacks.

Ti-Beu revient de l'armoire froide vers la sortie quand Paula passe sa brassée de linge par la fenêtre, enterrant la forme humaine qui se trouve juste au-dessous.

PAULA, *dans la fenêtre, à Ti-Beu* — Trouves-tu à caser ta glace, au moins?

TI-BEU, *interdit* — Pourquoi a dit rien?

PAULA — Comment?

TI-BEU — La fille, en dessour, pourquoi a grouille pas?

PAULA — La fille?

Elle se penche par la fenêtre pour découvrir la personne qu'elle vient d'enterrer sous les draps.

Un temps, elle examine la forme humaine immobile.

PAULA — C'est que tu fais là, Zarzaise?

*Un temps bref. Elle passe sa main à la hauteur
des yeux de la personne.*
Elle claque ses doigts devant son visage.

TI-BEU — A garde les yeux grands ouverts!

PAULA — Grouille pas.

*Elle se retire et paraît aussitôt par la porte.
Elle s'agenouille dans le tas de linge, puis redresse la forme humaine comme pour la mettre
sur son séant.*

TI-BEU — On crérait quasiment un lièvre qu'a pogné
a gourme.

PAULA, *à Ti-Beu* — T'as rentré tes quat'blocs de
glace? Bon, ben sacre-nous a patiente.

TI-BEU — Y en reste un, Mam'zelle Paula.

PAULA — Rentre-lé, pis va-t'en en tanner d'autres.

*Ti-Beu sort. Paula prend par les épaules la forme
prostrée et la berce contre elle. On peut alors
discerner qu'il s'agit d'une très jeune fille avec
des cheveux noirs nattés.*

PAULA — C'est qu'y a, ma corneille? Dis à Paula
ce qui se passe.

JOS, *paraissant dans la porte* — Paula! Your bath's
ready!

*Mais il ne la voit pas, agenouillée derrière la lessi-
veuse.*

PAULA — Hein? C'est qu'a l'a donc, ma douce?

JOS *entre, et après avoir cherché des yeux, s'impa-
tiente* — Paula! I'm warning you, dammit! I'm fed
up playing this game. (*Apercevant Paula, radouci.*)
Paula, tu viens-tu te baigner, mon amour?

22

PAULA, *alertée* — Renelle!

JOS, *tendant la main vers Paula* — Let me help you take off your petites choses.

PAULA, *tortillant des épaules, à Renelle qui accourt* — Eh! Le Jésuite qu'y me tombe su es rognons!... (*À Jos, achevant de dégager la fillette avec l'aide de Renelle.*) Can't you leave me alone for five minutes!

RENELLE, *couvrant la voix* — Go and make yourself a gin, for Chrissake. (*À Paula, inquiète.*) La petite est-y encore pognée des crampes, comment?

Paula hausse les épaules et fait aussitôt un mouvement pour dérober la fillette à l'atteinte de Jos.

JOS — Hey! How many of these d'ya keep hidden under the furniture?

PAULA, *à Renelle* — Débarrasse-moé de c'te tapocheux-là, veux-tu!

RENELLE, *tâchant d'entraîner Jos* — Viens-t'en, on va renouveler ta prescription. (*Il hésite.*) She's not your type, anyway.

JOS, *tiraillant pour revenir à la fillette* — Hey, Renelle, ta petite sœur, là, the heat's got to her. Je connas un remède de bois..., it'll pick her up in no time flat...

PAULA, *lui saisissant le poignet comme il se penche* — Si tu guy touches, je te mords!

Temps bref. Jos dégage brusquement son avant-bras, et quitte le solarium.

JOS — Oh! Fuck off!

Renelle se précipite pour retenir la porte que Jos allait claquer. Puis elle va à l'évier et tord une serviette sous l'eau du robinet.

PAULA, *bas, indiquant la porte par où Jos vient de sortir* — Ça s'appelle fais-y ben attention.

RENELLE — Voèyons donc. Y s'assèyerait jamais!

PAULA — S'y fallait qu'y parle da petite aux autres, quand c'est qu'y sauront pus trop ce qu'y font... A commence à l'intéresser, je trouve.

RENELLE, *réfléchissant* — Écoute: Robartine laisse pas a chambre, qu'a monte donc avec la Zarzaise dans le grenier.

PAULA — Pauvre Robartine. En dessour da couverture de tôle... A va avoèr chaud demain...

RENELLE — Ben oui. Mais a sera plus tranquille elle itou. (*Elle applique sa compresse sur le front de la fillette.*) Moé j'ai une surprise pour mon petit écureux!...

PAULA — La noère, a l'a pardu sa langue, je crés ben. (*Elle chatouille la fillette sous le menton. Celle-ci se tord soudainement de rire.*) Ah! mon estèque! Jouais-tu à cachette ou ben quoi?

LA ZARZAISE, *avec une voix bizarre, trop grave* — Ej jouais à belle qui dort dans le bois pis que le prince guy donne un bec.

PAULA — Zarzaise, va! À ton âge! Je te pensais étouffée sous es draps. Tu m'as faite assez peur!

RENELLE, *lui éponge le visage* — T'es en nage! Ergarde, t'es tout trempe! Fais pus ça, c'est dangereux.

LA ZARZAISE — C'est quoi la surprise?

RENELLE, *quittant le sautoir vert tendre qu'elle porte au cou* — Quiens.

LA ZARZAISE — Oooh! Ton collier de parles satin! Tu m'el donnes-tu pour de vrai?

RENELLE — Est contente, là, ma ratoureuse?

Ti-Beu entre avec son quatrième bloc.

TI-BEU — Eh! ben, a prend du mieux, la poulette, à ce que je peux voèr?

Le piano automatique repart.

PAULA, *persuasive* — A va continuer son lavage, astheure, hein, Zarzaise?

TI-BEU — Cou'tdonc, c'était jusse les langueurs, ou ben a-t-y viré mal?

PAULA — A pas viré mal. A jouait à un jeu à elle. C'est toute.

TI-BEU — Ah!

RENELLE — C'est vot' quatrième bloc, ça?

TI-BEU — Oui.

RENELLE — Ben mettez-lé dans glaciére, pis laissez-nous travailler. Savez-vous qu'on attend vingt parsonnes comme errien à soèr?

TI-BEU, *épaté* — C'est pas de valeur!

PAULA, *à la jeune fille* — Aye, Zarzaise!... Gârdez-moé-z-y l'air crasse! — Tes draps sont secs, su a corde.

La jeune fille se lève, sorte de sauvageonne à l'air hébété et aux vêtements mal seyants. Elle va remettre la lessiveuse en marche et sort sur le perron tâter les draps de la corde à linge. Paula la suit un moment du regard puis semble excédée par le piano qu'on entend toujours.

PAULA — Ah! Lui puis son saudit piéno!

Elle rentre précipitamment. La Zarzaise, ayant jugé que les draps n'étaient pas encore secs revient dans le solarium. Elle plonge un bâton dans la

25

*lessiveuse, en sort un bout de drap... interrompt
le moteur, puis commence à essorer le linge en
tournant une manivelle.*

*Renelle, qui suit Ti-Beu du regard, trouve des
cigarettes dans la poche de son tablier, en allume
une, et dépose la boîte d'allumettes à côté d'elle.*

LA ZARZAISE, *s'approchant tout à coup* — Renelle,
aye! Ergarde ce que j'ai faite tantôt.

*Elle montre un journal, découpé en franges et le
fixe au-dessus de la porte qui ouvre sur l'extérieur.*

RENELLE — Oooh! C'est pas gauche, encore! Un
chasse-mouches en gazette. T'as pas punaisé ça
tu seule?

LA ZARZAISE — Lucile m'a aidée jusse pour el
mettre d'équerre.

*La Zarzaise retourne à son occupation, empor-
tant les allumettes qu'elle a eu le temps de sub-
tiliser pendant la distraction de Renelle.*
Le piano se tait.
*De son bras libre, Ti-Beu range, dans la glacière
d'appoint des objets qui tintent, afin d'introduire
le quatrième bloc de glace.*

RENELLE, *s'asseyant dans le canapé à chaînes* —
Y a rien qu'icitte qu'on respire, finalement.

TI-BEU — Au moins, che vous, quand y a un bon
petit souffle, c'est pas la senteur du moulin à
papier que le vent vous envoèye.

RENELLE — Manquerait pus que ça! Loin de toute
comme on est.

TI-BEU — Z'êtes pas parmi le monde, c'est vrai. Mais vous avez ce qu'y vous faut sous a main!

RENELLE — C'est ce que tu penses, toé!

TI-BEU — L'eau courante, la laveuse... Y vous manque ben jusse el radio.

RENELLE — On en veut pas de radio! On est ben avec notre gramophone.

TI-BEU — Tu te mets es records que tu veux, ça y a pas à dire. El Soldat Lebrun, ou be donc un reel...

RENELLE — Va te cacher! On a pas des goûts d'habitants de même, nus autres. Ce qu'on aime, c'est a belle musique pis es chansonnettes françaèses.

TI-BEU — Eh! ben, vous n'écoutez quand ça vous le dit, pas de badrage.

RENELLE — Mais asseye donc, pour voèr, de trouver des volailles vidées, prêtes à embarquer dans le fourneau. Tu vas t'apercevoèr que t'es pas en ville.

TI-BEU — On en vide che nous, pour es ceuses qui es veulent de même.

RENELLE — Ben, ça commence à faère! Tu viendras pas jouer au jars icitte, mon vinyenne de petit fendant!

TI-BEU, *bredouillant* — C'est pas euh... c'est pas de ma faute euh... El pére che nous... euh...

Un temps. Renelle se détourne de Ti-Beu, et fume. Il demeure un moment penaud, puis rabat le couvercle.

27

TI-BEU, *gêné* — Ouais, ben toute vot' glace est rentrée... (*Avec un salut assez gauche.*) À semaine prochaine!

Il se faufile vers la sortie.

RENELLE, *négligemment* — T'oublies ta pince à glace, baquais.

TI-BEU, *revenant sur ses pas* — Oh!... Marci.

Il refait à l'inverse le même chemin.

RENELLE — Y aura peut-être une surprise pour toé a semaine prochaine. (*Ti-Beu la regarde.*) On pense s'acheter un frigidaère.

TI-BEU — Aye! Pas moyen!

RENELLE — Guette ben. Si on l'a eu, m'as te mettre un caltron dans vitre du coin... marqué en gros. (*Elle dessine dans l'air.*) Pas de glace.

TI-BEU, *avec un sourire timide* — Là, par asampe, vous me contez des peurs.

RENELLE — Comment ça?

TI-BEU — Ben, quand y venterait pas, el vire-vent ferait pas de frette! Pas de frette, pas de provisions.

RENELLE — Tu me dis pas.

TI-BEU — Pour le sûr! Pis le courant avec les fils, hein, vous êtes pas prêtes de l'avoèr icitte.

RENELLE, *dressant l'oreille* — Qui c'est qui t'a dit ça?

TI-BEU — Ben...

RENELLE — Envoèye! Parle, astheure.

TI-BEU, *sentant qu'il en a encore trop dit, tâche de se dérober* — Y a une chose que je peux faére...

RENELLE — Ouais...?

28

TI-BEU — Pour vous montrer comment que je sus, moé. M'as vous es vider vos poulats. Ça ferait-y vot bonheur?

RENELLE, *se levant* — Ouais! T'es pas mal à main, toé!

TI-BEU — Amenez-les. M'as vous es netteyer net le temps de crier lapin.

RENELLE — Y arait donc encore du monde smatte au village?

Elle sort. Ti-Beu regarde un instant la Zarzaise qui continue à essorer son linge.

TI-BEU — Ça vous dérangerait-y si je pousserais vot' linge un brin...?

La Zarzaise ne paraît pas l'entendre. Il s'essuie le front avec son avant-bras et se met à déplacer des piles de linge sur la table afin de faire de l'espace.
À un certain moment, La Zarzaise interrompt son travail, les deux mains dans l'eau, apparemment fascinée par quelque chose qu'elle aperçoit sur le montant d'une moustiquaire. Puis elle s'approche, pendant que Ti-Beu, intrigué, la suit des yeux.

LA ZARZAISE, *au bout d'un moment, l'air ébloui* — Zune! Zzune! Zzzune!

Ti-Beu s'approche, mystifié, et regarde à sa hauteur sans comprendre.

TI-BEU, *engageant* — Quoi c'est que vous regardez de même? (*La Zarzaise ne répond pas.*) Y a rien, là.

*Il s'approche tout près. La Zarzaise, sans brus-
querie, le repousse en lui mettant sa main
ouverte droit dans le visage.*

LA ZARZAISE — Viens pas es achaler. Va-t'en.
TI-BEU — Achaler qui? C'est qu'y vous prend?

*Au bout d'un moment, la Zarzaise se redresse
et retourne à son ouvrage. Par la fenêtre de la
salle de bains nous parvient la voix de Paula
qui chante, accompagnée de clapotis.*

LA VOIX DE PAULA —
Mais qu'en pensez-vous
Il m'a souri dans mon rêve
Ce soir
Mes rêves sont de plus
en plus
Charmants...

*Elle reprend la mélodie en sifflant. Ti-Beu délaisse
la Zarzaise et semble tout à coup pris par la
fenêtre haute.
Cadré dans le chambranle de la porte ouverte,
Jos apparaît, marchant dans le corridor comme
sur des œufs, pour venir doucement sonder la
porte de la salle de bains, qui jouxte la porte
arrière de la maison.*

JOS — Please, Paula, open the door... C'mon, let me in.
LA VOIX DE PAULA — Si tu penses. Chaudasse
comme t'es. Une folle.

*Jos sort de sa poche une liasse de billets de
banque, et se laisse glisser le long de la porte.*

JOS, *à genoux* — Okay. How much?

LA VOIX DE PAULA, *outrée* — Arrête tes simagrées, veux-tu?

JOS — C'mon. Don't be so damned touchy. How much d'ya want?

LA VOIX DE PAULA — Je vas t'en faére, moé, attends un peu.

> *Bruits d'eau, bruit d'un verrou qu'on tire. Elle passe la tête dans la porte, les yeux enflammés, rabat la main qui tendait le billet et, après un coup d'œil du côté du solarium, couvrant la voix.*

Te rappelles-tu que t'es rentré icitte à matin rien qu'à condition de te conduire comme du monde? (*Plus fort.*) Watch your step! Can't you see there are people here?

JOS, *après un regard dans le solarium en riant* — Pea soup or people, what did you say? (*Il pousse la porte.*)

PAULA, *tâchant de le raisonner* — Is this how you handle ladies?

JOS, *rigolant* — Ladies!

PAULA, *furieuse* — Bon, ben si c'est comme ça que tu le prends, mon vieux, ton chien est rien que mort pour à soèr...if you see what I mean. And, as for your money, you can stick it you know where!

> *Elle claque la porte. Jos se laisse tomber dedans, et frappe à coups redoublés. Renelle passe auprès de lui sans se soucier, entre dans le solarium avec deux poulets au bout de chaque bras, qu'elle tient par les pattes d'un air dédaigneux.*

RENELLE, *jetant les volailles sur la table* — El vieux codinde à Giguére! Y s'abaisse à nous vendre ses œufs pis ses patates, mais c'est ben jusse s'y nous es garoche pas en pleine face.

TI-BEU — Sont maigres comme des purs esprits, ses poulats!

RENELLE — Prends-les donc comme y sont, ti-gars: pour es critiques, d'abord, je trouve t'es mal placé.

Pour disposer devant lui les volatiles, il les soulève et les laisse retomber sur la table à grand fracas.

TI-BEU — C'tes poules-là ont marché el Congrès Eucharistique aller-retour!

RENELLE — Y perd errien pour attendre, el Giguére. Mais que le goût de la boésson le pogne, y va retontir icitte... M'as t'y faére prendre une de ces chires, entends-tu... on sera longtemps avant d'y revoèr el museau. *(Elle s'éloigne.)* Je vas te charcher da gazette pour pas beurrer a table.

TI-BEU — Pis un couteau, hein! Je veux ben leu faére leu job, mais donnez-moé es outils pour.

En sortant, elle se heurte à Jos qui, lassé de frapper, s'est assis dans le couloir, son verre à la main.

RENELLE — Ramasse-toé es jambes, au moins, maudit feignant!

Avec quelque difficulté, Jos arrive à se remettre sur ses genoux. Il appuie sa tête contre la porte. Ti-Beu soulève l'un des poulets à contre-jour, puis le pose à nouveau sur la table. Il semble chercher quelque chose... Il se dirige vers une armoire, l'ouvre, inspecte rapidement quelques rayons, la

referme, en ouvre une autre d'où il ramène bien-
tôt un bout de chandelle.

TI-BEU, *à la Zarzaise* — Me prêteriez-t-y du feu?
(La Zarzaise le regarde sans répondre.) Passez-
moé vos allumettes, une minute. *(Elle prend la
boîte d'allumettes dans ses vêtements et cache les
mains derrière son dos. Ti-Beu s'approche d'elle.)*
M'as vous es redenner tu suite apras. Je veux
rien qu'allumer ma chandelle.

*La Zarzaise recule jusqu'au mur et se ramasse sur
elle-même, regardant Ti-Beu avec les yeux d'une
bête traquée. Ti-Beu, étonné, reste un moment
devant elle.*
*Jos se met à gratter dans la porte de la salle de
bains.*

JOS, *sirupeux* — Paula... Mon petit bebé... I'm lonely.
I want to be with you. After all, I'm...

LA VOIX DE PAULA — Bon! V'là du nouveau.
Renelle, amène-lé se coucher, y m'énarve quand
y se met à lyrer de même!

JOS, *contre la porte* — I've been a... kind of a... father
to all of you.

PAULA — Shit!

JOS — Wasn't it me that introduced you to all those
nice guys in the first place... That got you start-
ed...?

LA VOIX DE PAULA, *écœurée* — Ah! Renelle, I can't
stand him any longer! C'est-y parce que c't'agrès-
là se colle à moé comme un suce-sang que je sus
t'obligée de m'occuper de lui tu seule?

33

Renelle arrive, deux autres poulets au bout du bras, un couteau dans la main, et un journal coincé sous le coude. Elle contemple Jos un court moment.

RENELLE, *à Jos* — Tacheté! Maîtresse est fâchée, là. Va te coucher! *(Plus brève encore, pendant que sonne le rire de Paula depuis la salle de bains.)* Couché! Tu suite. Couché! *(D'un coup de tête, elle lui indique l'intérieur de la maison.)*

JOS — Ah! Shut your trap, kutie.

RENELLE, *balançant la tête d'un poulet sous le nez de Jos* — Tacheté! Sskss! Sskss! Sskss, Tacheté! Sskss!

Elle lance le poulet dans le solarium à Ti-Beu qui l'attrape. Elle se tourne vers Jos. Celui-ci n'a pas bougé, mais fixe sur elle des yeux ronds de colère. Le quittant d'un air de mépris, elle rejoint Ti-Beu.

TI-BEU, *montrant le poulet* — Y arrachez-vous es chicots ou ben si vous es brûlez?

RENELLE — J'y fais cuire su'le dos. Ça donne du goût. Pis si y aurait rien que moé, les volailles embarqueraient tout rondes dans chaudronne. Je m'appelle pas Lucile.

En parlant elle s'est pris une autre cigarette et cherche des allumettes dans la poche de son tablier, puis autour d'elle. Elle se tourne vers la porte de la maison et sursaute en apercevant Jos tout près d'elle.

RENELLE, *en portant la cigarette à ses lèvres* — Aye! Jos... t'aurais pas du feu?

*Jos lui lance à toute force une gifle qui fait voler
la cigarette loin d'elle. Un court temps. Puis la
Zarzaise se précipite pour ramasser la cigarette et
la cache dans ses vêtements. Ti-Beu demeure
bouche bée, son poulet entre les mains.*

*Renelle prend une nouvelle cigarette, la pose entre
ses lèvres, tend la main vers Jos pour s'emparer
d'un briquet dans la pochette de sa chemise.
Elle allume sa cigarette, remet le briquet où elle
l'a pris...*

RENELLE, *soufflant devant elle la fumée* — Toujours
été brave avec les femmes, Jos. *(Elle fume encore.)* Avec les lumber jacks, par asample, tu files
plus doux. C'est à nus autres de te cacher dans
nos jupes quand y pardent el nord mais qu'y pardent pas a mémoère. *(Jos baisse la tête, les bras
le long du corps. Renelle se tourne du côté de la
table, vers Ti-Beu.)* Ben, qu'est-ce t'attends? El
Messie? On est pas à veille de Nouël, là, on est
à veille de Saint-Jean-Baptisse.

*Ti-Beu s'attaque à l'une des volailles. Il lui casse
l'articulation des pattes et passe la lame dans la
peau pour détacher la première. La Zarzaise accourt à la table.*

LA ZARZAISE — Donne-moé es pattes, je les garde.

*Elle attend la seconde et retourne avec les deux
pattes dans son coin où, cessant d'essorer, elle
s'amusera à les faire marcher contre le mur, ou
à se les promener dans le visage comme des
mains qui caressent.*

35

Ti-Beu ouvre la volaille et commence à l'éviscérer.
Renelle regarde toujours droit devant elle, et fume.
Un temps.

TI-BEU, *oppressé par l'émotion, voix sourde —*
Pourquoè... Pourquoè faére vous le sacrez pas à
porte, c'te maudit Anglas-là?

Du pied, Renelle écrase sa cigarette. Elle demeure
un moment encore immobile, puis vient se placer
tout près de Ti-Beu. Dès qu'elle se déplace, la
Zarzaise, qui guettait l'instant, se jette sur le mé-
got et, tournée contre le mur, accroupie, elle va
le rallumer et faire des bouffées.

RENELLE, *à Ti-Beu sans hausser le ton —* Si je me
retenais pas, ti-gars, c'est toé que je sacrerais à
porte, c'est pas lui!

Elle l'attrape à deux mains par le col et tord ses
vêtements. Ti-Beu demeure immobile, le couteau
de cuisine dans la main.

RENELLE — Vous avez en belle faire les fiers du haut
de vot'barouche de bouchers, vous êtes errien que
des tout-nus comme les autres. Si es Anglais
étaient pas venus ouvrir el moulin, la misére pis
es poux agèveraient de vous manger, aussi ben
comme toute la gagne de beaux fins du village.
Pis je m'en vas te dire quèque chose, Ti-cul.
Y en aurait même pas de village, si es Anglas
seraient pas venus faére de la gagne dans le boutte.
Rapport que tous es maudits colons seraient revirés d'où c'est qui devenaient, avec ben jusse de
quoi se cacher!

TI-BEU, *essayant d'interrompre* — Nus autres, en tous es cas, nus autres...

RENELLE, *le coupant* — Eille! Je sais de quoi je parle, chose. *(Elle le lâche)* Je les ai-t-y assez vus, les maudits sales faére la queue à porte da banque à pitons! *(À Jos, montrant Ti-Beu d'un coup de tête.)* Au lieu de se piocher des patates pis des bettes, les sans-dessein, y s'étaient toutes dardés su'es renards. Rendu le temps da Crise, le renard valait pus cinq cennes... pis eux autres encore moins!

TI-BEU — C'est tejours ben pas es Anglas qui me font vivre, moé: y ont toutes des frigidaéres, calvas!

Renelle va à Jos, lui rejette les cheveux par derrière, comme il les porte, les lui lisse...

RENELLE — Grand fou! Quand c'est que tu vas arrêter de nous faère du trouble? Je sais pas dans le monde pourquoè ce qu'on te laisse rentrer.

JOS, *lui prend la taille, regarde Ti-Beu* — Do you want to spit in his face? *(Un large sourire s'épanouit sur sa face.)* What stopping ya?

TI-BEU, *rougissant* — C'est qu'y dit, la tête carrée?

RENELLE — Farme ta boète. Ou ben je le fais.

Jos éclate de rire. Ti-Beu fait un bond en avant, écarte brutalement Renelle des bras de Jos avec qui il se trouve face à face. Il lève son couteau en travers de la gorge de Jos qui lui saisit aussitôt le poignet.

TI-BEU, *dans l'effort* — M'a vous l'amancher, moé, vot' gros plein de marde.

RENELLE, *très calme* — Penses-tu que tu guy fais peur? Pas une maudite miette! *(Ti-Beu laisse retomber son bras.)* Faut que vous seyez ronds en esprit, les Canayens pour faére peur à un Anglas! *(Elle hausse les épaules.)* Ertourne donc vider tes poulats, à place, t'auras l'air moins cave.

LA VOIX DE PAULA, *de la fenêtre haute* — El charivari est-y pogné de l'autre bord, comment... Renelle?

RENELLE, *fort* — Ben non!

LA VOIX DE PAULA — Ah!... Me semblait qu'y me restait de l'huile de bain Familex... Sais-tu où ce qu'est passée?

RENELLE — S'y en reste, a doét être su'a tablette.

LA VOIX DE PAULA — Je la voés pas...

Mais Renelle aperçoit tout à coup la Zarzaise qui continue à tirer de grandes bouffées.

RENELLE, *accourant* — À quoi c'est que tu penses? Veux-tu encore mette el feu avec ça? *(Elle lui arrache le mégot des mains, puis le jette dans la lessiveuse.)* Comme si t'arais pas déjà assez de boucane dans es esprits!

La Zarzaise se lève, repêche le mégot dans la lessiveuse, le contemple, l'écrase entre ses doigts, le hume... avant de se remettre à essorer.

Ti-Beu demeure un moment pantois, saisit tout à coup sa pince à glace, et sort sur le perron.

RENELLE, *s'écriant* — Wô...bec! *(Ti-Beu s'arrête saisi.)* Arrié donc! *(Il se retourne. Renelle vient s'appuyer dans la traverse de la porte-moustiquaire.)* Quand on a mis une affaére en marche, pitou, on a finit!

TI-BEU, *puéril, sur le bord des larmes* — El monde ont raéson. Vous êtes rien que des...des...des...

RENELLE — Ouais?

Ti-Beu lui tourne le dos et descend à la hâte les marches du perron.

RENELLE, *avec dégoût* — Même pas capable de lâcher ce qu'y pense.

JOS, *ayant poussé Renelle, sort sur le perron* — Des poules mouillées toute la gagne! Ça passé a guérre cachés dans leus sheds, pendant que nus autres on se battait!

TI-BEU, *faisant face de nouveau* — Que le yâbe vous chârisse! *(Sa voix se brise.)*

RENELLE, *à Jos, froidement* — Payes-y sa glace.

JOS, *fouillant ses poches* — What da ya owe him?

RENELLE, *quittant la porte* — Demandes-y.

JOS, *à Ti-Beu* — Pour comment c'est que t'en as livré?

Ti-Beu écrasant ses larmes, consulte son carnet de commandes. Il s'adresse, à travers les mousti-quaires, à Renelle.

TI-BEU — Y a la semaine passée, pis c'te foès-citte...

RENELLE, *à Jos* — Mets-y trente sous en plus da glace, pour l'étripage. Then come and finish the job.

JOS — Me?

RENELLE — Well, you're the one who kicked him out!

JOS, *sort sa liasse de billets. Appelant Ti-Beu* — Hey! C'mon here, kid.

Ti-Beu s'approche, attrape, du bas des marches, le billet que lui tend Jos et cherche la monnaie.

JOS — Keep the change. *(Ti-Beu hésite.)* Hey! Renelle! Look at that! Y chiâle, el morpion! *(À Ti-Beu.)* That'll teach you how to handle... ladies!

Jos éclate de rire.
Renelle revient vers la porte. Pour se dérober à la situation, Ti-Beu court vers la route, essuyant ses larmes d'un brusque revers de main. Renelle se précipite derrière lui, le rattrape sur le trottoir de bois, lui bloque le passage.

RENELLE, *doucement, presque tendre* — Fais-en pas de cas.

Elle lui prend la main, tâche de l'entraîner.

TI-BEU, *après avoir hésité, refoulant ses larmes* — C'est pas dans mes habitudes de laisser le travail à moètié faite.

Mais comme il allait passer la porte, Jos allonge le pied et donne un croc-en-jambe à Ti-Beu qui trébuche dans le solarium.

RENELLE, *à Jos, en colère* — Enough is enough! T'es déhors, tu vas guy rester. *(Elle vient mettre le crochet sur la porte.)* Va-t-en attendre les autres su'a galerie. And don't come banging at the front door. You understand me?

JOS — How would you like it if I stopped my guys from coming down here?

RENELLE — Pour ton information, chose, c'est la belle classe de monde qu'on veut. Tes lumber jacks, y sont ben dans le bois. Les foremans du moulin, pis les jobbeurs, c'est toute ce qui nous intéresse.

JOS — Is that so?

RENELLE — Pis c'est déjà assez d'endurer ce monde-là, si tu veux que je te dise! *(À Ti-Beu.)* Che zeux, dans le Townsite, t'en verrais-tu un maudit se promener chaud dans es rues? Penses-tu qu'y pèterait ses bouteilles su'a sphate? T'imagines-tu qu'y pilerait dans'es fleurs, ou ben qu'y irait renvoèyer su'le perron da mitaine... sans que la Compagnie el mette à sa place? Inquiète-toé pas. Dans le Townsite, tu sais tu suite que ces affaéres-là se font pas, que t'es entre genses éduquées... Mais quand el Townsite monte icitte par asampe... Wô bebé! C'est une autre paére de manches. T'es reconnais pus! Y font pire en-dedans qu'y feraient pas déhors che zeux.

JOS — Can't I just come in to play the piano?

RENELLE, *s'approchant de la porte à moustiquaire, les doigts pointus* — Don't lean on the screen. Que c'est que Paula t'a dit tantôt... About tonight?

JOS — Hostie!

RENELLE — Viens pas sacrer icitte, c'est pas à place. Mais que tu rentres, t'auras des belles maniéres. Comme quand t'es su' le tennis du Townsite. Ou ben non dans le club, où c'est vous pouvez jouer aux cartes sans mener de train pis sans casser es vitres.

Jos s'assied sur les marches du perron, et allume une cigarette. Elle vient vers la table où Ti-Beu s'est remis au travail.

JOS, *grommelant* — Damned frogs! Don't think I don't remember the war... I would of given just about

everything to be an M.P. and catch those rats in
their holes !

*Renelle plie un journal dont elle se sert comme
éventail, regardant Ti-Beu travailler.*

RENELLE — T'as pas encore trouvé d'œufs parmi es
tripes ?
TI-BEU — Ces poules-là ponnent pas ! Sont ben que
trop misérables !
RENELLE, *s'écriant* — T'as parlé trop vite ! *(Elle
cueille un œuf sur la table et l'élève à la hauteur
des yeux.)* Un vrai boucher arait vu ça au travers
da poule.

*Ti-Beu lui prend l'œuf des mains, le casse au bord
de la table et, renversant la tête, il le gobe. Renelle a un frisson.*

TI-BEU — J'ai pas encore dîné.
RENELLE — Comment ?... Ben va charcher tes san-
nouiches pis mange-les icitte à l'ombre.
TI-BEU — Je vas es manger tantôt su a route. Ça
trompe el temps.
RENELLE — Tu trouves el chemin long ?
TI-BEU — Quand sus Chabotte m'ont pris, y ont ral-
longé a ronne pas mal. Astheure, on va jusqu'aux
brûlés de l'autre bord du pont de fer... pis jusque
par che vous.
RENELLE, *l'air complice* — Chabotte sait-y que t'arrêtes icitte ?
TI-BEU — Je comprends ! Quand y en a vus quéques-
uns au village es grèyer de frigidaère comme el
Townsite... y s'est aperçu qu'y fallait qu'y se bû-
che des nouvelles pratiques. Pis que ça pressait !

42

RENELLE — Quiens! C'est donc a peur da banqueroute qui l'a décidé à nous vendre sa glace.

TI-BEU — De même au moins, vous n'avez sans courir
apras.

RENELLE, *entre ses dents* — Eh! que j'haguis c'te
monde-là, maudit!

TI-BEU — Si ça peut vous faére plaésir euh... Cha-
botte-la-glace court ses darniers milles: l'estricité s'en vient dans es rangs.

RENELLE — Mouain! A sera là le jour que les poules
aront des dents.

TI-BEU — Ben si je sous le dis! Amance Truchon, el
garagisse, c'ti-là qu'est organisateur du parti... y a
faite une promesse d'alection su'le perron d'église,
dimanche passé.

RENELLE — Beau dommage! On pogne pas e mouches avec du vinaigre.

TI-BEU — La paroèsse était pour fêter ses vingt-cinq
ans, pis l'Union Nationale voulait guy faére un
cadeau de conséquence. «On est prêts, c'te foès-
citte encore, que Truchon a dit, a faére not'part
pour el progras.» Ça pas pris de temps qu'y s'est
ramassé une trâlée de monde.

RENELLE — Sont un peu là, es saffes, quand y en-
tendent sonner es trente sous.

TI-BEU — Y avait Will Thébarge qu'a crié de même:
«Viens donc pas nous remplir, Truchon!» Mon
Amance Truchon se revire: «Vous savez ce que
c'est, es rouges, de bourrer le monde: vous l'avez
faite vingt-cinq ans de temps... Mais asseye donc
de dire el contraire: c'est-y vrai ou ben non, que
l'Union Nationale a donné l'estricité au village
pareil comme a l'avat promis en '44?» V'là es

autres qui crient: «Chou, Thébarge!» Pis Amance Truchon continue: «Eh! ben, astheure, si l'Union Nationale promat l'estricité dans es rangs, c'est qu'a va vous a chiper dans es rangs!»

RENELLE — Dans es rangs! Comme si t'achèterais le même nombre de vote au poteau!

TI-BEU — Thébarge a marmotté de quoi de même, pis Truchon y a renvoyé: «Ça coûte errien d'as-seyer, Thébarge. Vote donc pour Duplessis, comme les genses d'en-haut. Eux autres aront l'estricité, pis toé, tu leu vendras es frigidaère!»

JOS — Same stuff: pea soup! Toute de la même potée à part ded ça.

TI-BEU — Là, le monde ont vu que c'était pas rien que des sparages. «L'Union Nationale a-t-y pas montré qu'a comprend es besoins du colon? Prenez-en ma parole, el courant se rendra aussi loin que su'a butte à Philorum Bécotte!» Aye! el monde s'ont mis à applaudir! Truchon leu fai-sait signe d'attendre, qu'y avait pas fini... Quand ça s'est arrêté, y a regârdé dans porte d'église, pis y a baissé le ton: «Rapport qu'après à butte — qu'y a rachevé — ...y attendent pas apras ça pour se ploguer!»

Jos éclate de rire.

RENELLE, *pâlissant* — Ah! ben chârogne! Y a dit ça, el Truchon?

TI-BEU — Aussi sartain que je sus là! Pis le monde a ri que ça finissait pus...

RENELLE — Tu peux en passer des bouttes, chose. Je sus capable de me figurer tu seule comment c'est que ça devait être comique! *(Elle va à la*

44

porte de moustiquaire et lève le crochet.) Jos !
(Celui-ci se tord toujours de rire.) Viens icitte !
(Il se lève et entre.) Tu vas me cheter ça déhors.
(Elle désigne Ti-Beu.)

TI-BEU, *le couteau lui en tombe des mains* — Aye !
C'est qui se passe encore ?

JOS, *redevenu sérieux, agrippant Ti-Beu par les épaules*
— You want me to throw him out ?

RENELLE — À porte, tu suite !

TI-BEU — On a beau s'arracher a face pour vous faére
plaésir, on se fait traiter comme des chiens !

RENELLE — Pis c'est rien que ça que vous êtes !
Toute une bande de chiens sales ensemble !

*Jos pousse Ti-Beu vers la porte, le reconduisant
jusque dans les marches. Arrivé là, mais là seulement, Ti-Beu se ressaisit et attire Jos dans l'escalier. Les forces en présence, à cause de l'ivresse
de Jos, paraissent favoriser Ti-Beu. Les adversai-
res se jaugent de l'œil. La Zarzaise délaisse son
travail et court à la fenêtre grillagée.*

RENELLE, *sortant sur le perron* — Mesure-toé avec
du monde de ton âge, fatso. That kid's not used
to your dirty fighting.

TI-BEU, *attirant Jos par ses vêtements* — M'as t'é-
tamper raide mort, mon saint-esteffe !

RENELLE, *d'une voix forte* — Pis toé, le crotté, prends
pas l'épouvante ! *(Ti-Beu la regarde.)* Va donc mener ta glace sus Godbout, si tu veux garder ta
job de crève-faim.

*Ti-Beu lache prise. Jos s'essuie les mains l'une
contre l'autre, l'air satisfait.*

45

TI-BEU, *rouge de colère, mais le regard éperdu* — Da glace, vous irez vous en bûcher! Je remets pus es pieds icitte!

Il crache dans les marches, et disparaît à travers les draps.

RENELLE, *criant* — Chabotte feront rien que banqueroute plus vite. Y videront a place, che zeux comme tant d'autres, pis ça sera un sacré bon débarras!

LA ZARZAISE, *criant comme Renelle* — Un sacré bon débarras, ouais!

RENELLE, *se retournant* — De quoi c'est que tu te mêles, toé? Ta brassée de linge est-y finie? *(Elle l'examine.)* Viens donc icitte, pour voèr. *(La Zarzaise sort sur le perron. Renelle lui enlève le tricot qu'elle porte sur sa robe.)* Faut t'habiller plus à fraîche, avec les chaleurs qu'y fait... Cout'donc, ça file pas? T'es blanche comme de la fleur...

La Zarzaise ne donne aucun signe d'intelligence.

JOS — Maybe it's those puffs she smoked a little while ago.

RENELLE — Assis-toé au ras Renelle, là, pour prendre l'aèr un peu.

Elles s'assoient côte à côte dans les marches. Renelle serre la Zarzaise contre elle et lui caresse nerveusement les cheveux.

RENELLE — Pauvre petite misére! Des toques pleins es cheveux... Serais-tu fière que je te faise des beaux boudins... Comme el petit Saint-Jean-Baptisse?

LA ZARZAISE — J'aimeras ben mieux el mouton que les boudins.

RENELLE — On a pas de place icitte pour un mouton.

LA ZARZAISE — Pis es bâtiments, eux autres?

RENELLE — Les bâtiments! El pére es a même pas agevés: y ont pas de couvarture. Pis y sont à moètié ébarouis.

LA ZARZAISE — Vous voulez jamais que j'aye errien!

RENELLE — Si tu voulais des vaches pis des cochons, ma noère, t'es mal tombée. Nus autres on est pas nées su' le tas de fumier.

JOS, *à la Zarzaise* — Je n'ai des jevaux, moé, dans le bois.

RENELLE — On le sait, Jos, on le sait.

LA ZARZAISE, *à Renelle* — Dis-y qu'y descende avec, la prochaine foès.

JOS — C'est qu'y mangeraient mes jevaux icitte? El foin vient pas plus gros que du poèl de cuisse. *(S'approchant de la fillette.)* Comment c'est qu'on t'appelle la noère?

LA ZARZAISE — Je m'appelle pas, je viens tu seule. — Donne-moé cinq cennes.

JOS, *lui tendant une pièce* — I could give you, a lot more, if...

Il veut lui prendre le menton, mais Renelle intercepte son geste.

RENELLE, *ton sans réplique* — Hands off!

JOS, *dépité* — Can't a guy even look at her?

RENELLE — Même pas.

47

JOS — Les chattes à Magloère, vous aimez le poésson, mais vous craignez l'eau.

RENELLE, *haussant les épaules* — What does that mean? *(À la Zarzaise.)* Va finir el lavage, astheure.

La Zarzaise entre et se remet au travail.

JOS, *explicitant* — Ben : Robartine est pus bonne à grand chose ; Lucile arrive su'le bord qu'a sera pas rendeuse autant... Déjà c'est pus rien que quand ça y dit... *(Il mime les manières dédaigneuses de Lucile.)* Now, d'ya get what it means. As for Paula and you, vous faites el bec fin quasiment pareil, et pis, celle-là *(Il indique la Zarzaise.)* on peut pas a regarder. Comment c'est que vous allez faére ? Going no where in a hurry !

RENELLE — T'es bon bon de penser à nus autres, Jos. Mais câsse-toé pas a tête. On s'est déjà portagées tu seules à travers pas mal de marde. Donne-moé une cigarette.

Il lui tend son paquet de cigarettes, l'allume...

JOS — Look, ginger. You could use someone to take care of you. Your mother's not the strong woman she once was.

RENELLE — La mére ? Fais-toé-z-en pas, mon vieux, c'est une capacité de femme pas ordinaire. Lucile est rendue maigre comme une hart, c'est vrai, pis tes lumber jacks l'aiment moins. Est pas leu genre, est mieux que ça. C'est pas une raéson pour...

JOS, *l'interrompant* — Hey ! Just a sec ! Quand les gars vont aux femmes, c'est des femmes qu'y ont envie, pas des pèteuses de broue !

RENELLE, *bondissant sous l'insulte* — Sacrament!
Sors-en de tes chanquiers, maudit épas. Ou ben si
ça fat pas ton affaére, retournes-y. Mais viens pas
icitte me rincer es oreilles avec vos expressions
de mâcheux de bines!

JOS — Okay, okay.

RENELLE — On a beau avoèr la couenne épaisse,
chose, y a des patarafes qu'on est pas prêtes à
prendre. — Et pis je t'ai-t-y avarti oui ou non de
jamais me parler de c'tes affaéres-là en français?
T'es pas capable, d'abord. T'as appris avec du
monde commun.

JOS — Calm down, okay, calm down. Stop screatching
and I'll do what you want.

RENELLE — Vous faites peut-être ben a loi, tout le
long de riviére, les Anglas, avec vos moulins à
scie, votre moulin à papier pis vos chanquiers...
mais icitte, okay, c'est nus autres qui décident
qui on veut pis *quand* on veut. Si a mére a mis
Robartine au repos, c'est parce qu'a l'a ses raé-
sons, pis a l'avat pas à vous demander vot'idée
pour el faére. Understand?

JOS — How old is Robartine, anyway? *(S'efforçant
d'être moins commun.)* Has'nt she reached the...
the critical age; is'nt that why she's feeling bad
all the time?

RENELLE, *le ton continue à monter* — Aye! Erviens-
en! Sais-tu ce que tu dis? Robartine, a pas cinquante ans, a n'a trente-deux!

JOS — Well..., she's got a tough life...

RENELLE — Arrête, chose, tu vas me faére brailler.
Robartine a eu une couple de badeloques, bon!
Et pis après? A s'est remis de première, on va

49

trouver moyen da réchapper c'te coup-citte encore.

LA ZARZAISE, *dans la fenêtre* — Robartine, j'guy ai lavé au moins deux cent cinquante mouchoèrs... Au moins! Elle, a braille, c'est vrai!

RENELLE — Veux-tu te mêler de tes bebelles, Zarzaèse? Pis nous laisser jaser entre grand monde?

Mais la Zarzaise demeure dans la fenêtre grillagée, occupée à pincer quelque chose qui lui échappe constamment et qu'elle poursuit.

JOS — Ouais. Pourquoè c'est que vous a tenez enfarmée, Robartine?

LA ZARZAISE — A lit des histoères trop tristes, c'est ça qui a fait brailler.

RENELLE — On te connaît, Jos. T'es assez faénéant que t'en pues. Ce que t'aimerais, c'est d'arrêter de monter dans le bois, l'hiver, pis de vivre icitte comme un ours dans sa ouache. En seulement, nus autres, on est pas prêtes à ça.

JOS — All I said is that you need a man in this household.

RENELLE — Pourquoi faére?

JOS — Parce qu'y s'en vient des méchants temps.

RENELLE — Prends-tu a mére che nous pour une sans-génie? A l'agève, là, de stâller son monde: c'est pour ça qu'est partie par les chars. Fais-toé donc pas de bile. You're the one who's getting old, Jos. And you've always been scared to stay alone.

JOS — Je t'ai pas débarrassée du maringouin, t'à l'heure?

RENELLE — Un gros palote comme toé! Si je l'avais laissé te tomber su a fripe, y te poquait es deux yeux en arc-en-ciel! Quand tu grimpes su' tes argots, Jos, c'est parce que t'es sûr qu'y en a une de nus autres en arriére de toé pour éventer es cris pis effaroucher el fier-à-bras. Qu'y arrive donc un vrai massacre à méson, par asampe: là, on peut toujours courir après toé, tu deviens pas plus voèyant qu'un câsse-ligne.

JOS — El problème est pas là. You've got just one big problem, Renelle, and you know it as well as I do: toute el village est contre vous autres! C'est pour ça que vous l'arez jamas, le courant. Y vous passeraient es fils par-dessus a tête sans vous connecter, plutôt!

RENELLE, *le regardant soudain avec défi* — Es-tu prêt à es faére, tes preuves, Jos?

JOS — Quelles preuves?

RENELLE — Si tu veux tant que ça qu'on te prenne à l'échourie?

Renelle vient s'agenouiller près de lui.

JOS — Okay. What do you mean?

RENELLE — C'est vrai, hein, que t'es pas vaillant, Jos; c'est vrai que t'es pas de sarvice quand y a du trouble ni su' aucun rapport... À quoi c'est que t'es bon, donc?

JOS — Oh shut up! Forget what I said.

RENELLE — Mais... je peux pas dire el contraère: des foès, c'est vrai aussi qu'on arait ben envie de se canter su' quequ'un de solide.

JOS — Ouais, ben charche-la ailleurs, la poère.

RENELLE — Y arait a vie belle, tu penses, el taon qui se carrerait dans le nique à miel ?

JOS — Y vivrait le reste de ses jours en quarantaine.

RENELLE — Y garderait ben des amis au Townsite, en té cas. Y serat en mesure de faére des faveurs, des passe-droit...

JOS — Et pis pour ça, je suppose qu'y faudrait qu'y faise sauter le village à dynamite ?

RENELLE — Foère pas dans tes culottes, Jos. Je vas pas te demander de foncer dans salle de pool pour casser à gueule à tous es tocsons da place... Si tu perds des dents, ça sera rien qu'à manger du sucre à crème avec nus autres. Mais faudrait que tu faises tes preuves avant !

JOS, *se levant, en colère* — I've had it, je t'avartis. Right up to the eye balls !

RENELLE, *le coupant* — Choque-toé pas, Jos. T'as quèque chose d'un autre côté que ben du monde ont pas. *(Il la regarde.)* T'as des connections. T'es du bord des ceuses qu'on toute la gagne.

JOS, *avec un grand soulagement* — Ah ! Ya want me to... Que je mette en branle mes influences à Compagnie pour que le gouvarnement faise grimper ses fils che vous !

RENELLE — Ouais, ben ça c'est entendu ; tu partirais pas du Townsite pour venir rester à une place où ce que tu peux même pas ploguer ton rasoèr électrique.

JOS — Good god ! Renelle. When are you going to tell what you expect me to do ?

RENELLE — Un autre genre d'entourloupette, Jos... Queque combine pas mal difficile à tramer, même avec tes grosses influences... mais un mauvais tour

qui va ben vous amuser, toé pis tes amis du Townsite...

JOS — What's the big joke? Spit it out once and for
all.

RENELLE, *l'excitation la gagne* — T'es capable, mon
Jos. Dis-toé que t'es capable!

JOS — Ouais. C'te coup-citte, je sens que je vas en
suer pour mon rhume...

RENELLE — Make up your mind; Jos!

JOS — For Crissake, I will if you tell me how to go
about it!

LA ZARZAISE, *sortant sur le perron* — C'est quoi
que tu veux qu'y faise, l'Anglas, Renelle?

RENELLE, *à Jos, se levant et retirant son tablier* —
Faut que j'aille au village, pis Lucille a besoin du
char pour fenir ses commissions... Tu viendrais-tu
me reconduire?

JOS, *avec un signe de tête* — Embarque.

> *Elle se précipite sur les marches. La Zarzaise,*
> *craignant que Renelle vienne la remettre brutale-*
> *ment au travail, se gare dans un coin. Mais*
> *Renelle l'attrape au passage par les mains et la*
> *fait tournoyer autour d'elle, en riant comme une*
> *folle.*

RENELLE — Ça y est! Ce coup-citte, ça y est: y vont
l'avoèr leu change, les torrieux. Y ont voulu nous
baver une foès de trop! *(Fort, à Jos.)* Je me donne
un coup de peigne pis je sors par en avant.

> *Elle rentre en coup de vent dans la maison.*

LA ZARZAISE, *dans la porte de la maison, courant*
après Renelle — T'oublieras pas mes collants à
mouches, hein?

JOS, *contemplant la Zarzaise à travers les mousti-*
quaires, se rapproche — T'aimerais-t-y ça, que mo-
noncle vienne rester avec vous autres? *(La jeune*
fille achève d'essorer sans répondre.) Moé, j'ai
connu une petite fille comme toé qu'a pogné ses
tresses dans un tordeur électrique. A s'est quasiment faite escalper; mais quand est revenue
mieux... était belle! *(Avec un salut de la main.)*
See you!

Il sort en longeant les pilotis. La Zarzaise se
colle à la moustiquaire pour le regarder partir.
Au bout d'un instant, on entend un camion démar-
rer et s'éloigner... Demeurée seule, elle se préci-
pite sur les poulets et continue d'éviscérer celui
que Ti-Beu avait laissé en plan, examinant les
abats avec le plus grand intérêt. Puis elle en prend
un deuxième dans ses bras, appuie la tête bran-
lante sur son épaule et sort sur le perron pour
s'asseoir dans les marches où elle le bercera en
chantant.

LA ZARZAISE, *chantant avec sa voix rauque* —
    À côté de ta mére
    Fais ton petit dedo-o
    Sans savoir que ton pére
    S'en est allé sur l'eau
    La vague est en colére
    Et murmure là-bas
    À côté de ta mére
    Fais dedo mon p'tit gars

À un moment donné, elle interrompt sa chanson,
prend dans ses mains la tête du poulet et regarde
ses yeux, entrouvre son bec...

LA ZARZAISE — Manges-tu des vers, toé? Comme el rouge-gorge qui piaille el matin, pis qui se bascule su'ses deux pieds pour tâcher de sortir des vers du terrain? Parce que... si t'en manges, m'as t'en donner!... T'arais même pas à te les picosser dans terre, pis à es étirer durant qu'y s'accrochent à leu trou anneau apras anneau pour pas se faére envaler... Je sais où es trouver, moé, grouille pas. *(Elle se lève avec son poulet, et, poursuivant sa berceuse, descend les marches, le pose avec précaution sur la dernière, soulève une des planches du trottoir de bois... Après avoir cherché un instant, elle pince un lombric et, le tenant au bout de ses doigts, se rassied sur les marches.)* Tu voés ben? T'avais pas de l'aèr de me croère! *(Elle couche le poulet sur ses genoux et lui ouvrant le bec, elle tente d'y plonger le lombric.)* Mange! Mange, ça va te faére du bien. Tes plumes vont repousser... *(Elle le ramène devant elle.)* T'aimes mieux faére ta tête croche?... Bon, ben reste mort, d'abord! Je vas t'enterrer dans un trou, pis c'est es vers blancs qui vont te manger à place. *(Elle lui ouvre les ailes et le tient suspendu devant elle.)* D'un coup que tu ressusciterais...? *(Elle lui prend les pattes dans ses mains et le fait marcher sur l'escalier.)* Viens, je vas te faére une belle tombe avec de l'huile Familex partout su'toé pour pas que tu puses.

Vers la fin du monologue de la fillette, Ti-Beu apparaît à l'encoignure de la maison, surveillant la scène, épiant par les fenêtres la galerie couverte... Puis il sort de sa cachette, un bouquet de

lys tigrés à la main, et s'avance vers l'escalier,
dissimulant les fleurs derrière son dos.

TI-BEU — Euh... Je me sus dit que les poulats étaient
peut-être pas toutes vidés...?

La fillette le regarde sans répondre... Il s'appro-
che. Elle se ramasse brusquement sur elle-même
comme si elle avait peur. Ti-Beu, ne comprenant
pas sa réaction, fait à nouveau deux pas en avant.
La Zarzaise abandonne le poulet dans les marches
et s'enfuit dans le solarium. Il se penche pour
prendre le poulet par les pattes et entre à la suite
de la fillette. En apercevant les fleurs dans la
main du garçon, la Zarzaise, qui s'était accrou-
pie derrière la lessiveuse sort de sa frayeur. Elle
prend un seau, ouvre le drain de la lessiveuse...
Ti-Beu la regarde sans rien dire. Au bout d'un ins-
tant, on entend Paula par la petite fenêtre.

LA VOIX DE PAULA, *chantant* —
Viens t'asseoir
Près de moi
Encore un
Seul instant
Pour me dire
Ces deux mots:
Je t'aime!

Ti-Beu, alternativement, regarde la Zarzaise
puis la fenêtre haute, comme habité d'un projet.
La Zarzaise ne prête pas la moindre attention à
lui, ferme le robinet et se rend à l'évier vider
son seau lorsqu'il est plein, pour recommencer
aussitôt la même opération. Un temps. Ti-Beu

pousse une caisse de bois au pied de la fenêtre,
et se hisse prudemment dessus.

LA VOIX DE PAULA, *un cri perçant* — Ah!... Sôda,
je viens de me couper avec el rasoèr! Moé
qu'avait dans l'idée de pas mettre de bas...
Renelle?...

LA ZARZAISE — Est partie avec ton gros fatté.

La brusque intervention de Paula a failli jeter
Ti-Beu à la renverse. Remis d'aplomb, il regarde la
Zarzaise, qui continue de l'ignorer absolument.
Il se hisse alors sur la pointe des pieds, mais pour
voir, il doit encore pousser le carreau qui est tendu
d'un rideau plissé. Il jette une fois de plus un
coup d'œil à la Zarzaise, puis il sonde précau-
tionneusement la fenêtre. La voix de Paula qui
chantonne le fait tressaillir et retirer son bras.

LA VOIX DE PAULA —
Le voilà, oh! oh!
Le voilà, oh! oh!
Tout le long de l'île,
Le long de l'eau;

Elle reprend, diminuando, et s'interrompt bientôt.

Le voilà, oh! oh!
Le voilà...

Ti-Beu reste à l'écoute, tendu... Puis il jette un
œil à la Zarzaise, finit par se rassurer assez pour
porter le bout des doigts au cadre de la fenêtre
et s'enhardit jusqu'à pousser le carreau. Un der-
nier coup d'œil à la Zarzaise, puis résolu, il se
hisse sur la pointe des pieds et plonge le regard

par la fenêtre. À ce moment, la Zarzaise se met à fixer la caisse sur laquelle Ti-beu s'est juché et, quittant son travail, s'approche de lui, s'accroupit à la hauteur de la caisse et se penche en avant. Puis, bourrue, elle tire le bas du pantalon de Ti-Beu.

LA ZARZAISE — T'as renvarsé ma boète à beurre !

TI-BEU, *sursaute, dégringole presque* — Quoi ? Quoi ?

LA ZARZAISE — Maudit niaiseux ! T'as pas vu qu'y avait des criquettes ?

TI-BEU — Un instant, là. C'est que vous dites ?

LA ZARZAISE — Tu l'as renvarsée, et pis y sont sacré leu camp.

Elle fond en larmes. Ti-Beu descend aussitôt de la caisse.

TI-BEU — Ah ! Écoutez, je savas pas, moé.

LA ZARZAISE — Es-tu aveugle, cout'donc ? Y avait une poignée de foin pis toute une famille de petits criquettes dans le fond de c'te boète à beurre-là. C'est une mère barbeau qui es élevait. *(Elle remet la caisse debout.)* Est vide astheure !

Véritable accès de désespoir. Elle se roule à terre, frappant le sol des pieds et des poings. Ti-Beu, terriblement embarrassé, recule vers la sortie.

LA VOIX DE PAULA, *fort* — C'est qu'y a donc, ma corneille ?... Dis-lé à Paula pourquoi que tu chiâles ?

LA ZARZAISE, *fort* — Mes criquettes ! Sont revirés che zeux !

LA VOIX DE PAULA, *après une courte hésitation —* Ton linge est teurd, là?

LA ZARZAISE, *avec un regain de colère —* Mes criquettes, câline! Y es a renvarsés!

Redoublement de pleurs. Ti-Beu demeure cloué sur le seuil.

LA VOIX DE PAULA — Qui ça, qui es a renvarsés?

LA ZARZAISE — El gars de la glace!

LA VOIX DE PAULA, *consolante —* Ah! Pauvre Zarzaise, va. El monde est donc mal amanché. Y faisait noèr, y es aura pas vus... Écoute, penses-y pus, t'iras t'en charcher d'autres avant souper.

LA ZARZAISE — Ça sera pas es mêmes!

LA VOIX DE PAULA — N'importe! C'est toutes pareils des criquettes.

LA ZARZAISE, *fort —* Non, c'est pas toutes pareils!

LA VOIX DE PAULA, *sur un ton engageant —* Aye! Zarzaise, tu viendrais-t'y me rincer à tête?

LA ZARZAISE, *se relevant —* J'ai pas fini de vider ma laveuse.

LA VOIX DE PAULA — Tu finiras après. Viens. Je t'attends. J'ai de la broue plein es cheveux. *(Elle se remet à chanter.)*
Viens t'asseoir
Près de moi
Etc...

La Zarzaise finit de sécher ses larmes et retourne à la lessiveuse.

TI-BEU, *au bout d'un moment, se râcle la gorge, gêné —* J'ai pas faite exiprès... Scusez.

Il va sortir, mais la Zarzaise le rattrape dans les marches.

LA ZARZAISE — Pourquoi faère t'étais jouqué su ma boète à beurre?

TI-BEU — Faut que... je retourne à chârette: j'ai encore pas mal de livraisons à faère...

LA ZARZAISE — Tu regardais ma sœur prendre son bain?

TI-BEU — N...non.

LA ZARZAISE — Pourquoi? *(Silence embarrassé de Ti-Beu.)* Pourquoi faère tu a regardais?

TI-BEU — J'ai rien vu!

LA ZARZAISE — Tu pouvais pas. Astheure qu'on a eu l'eau courante, on a poussé le bain au ras a champlure. Ça fait que tu peux pas voèr par là. *(Elle désigne le carreau.)*

TI-BEU — Bon, eh! ben... salut!

Il lui tourne le dos.

LA ZARZAISE, *avec un sourire engageant* — Si c'est ça que tu veux, je peux a mettre dans ta vue quand je vas l'essüyer...

TI-BEU, *décontenancé* — Marci, mais euh...

LA ZARZAISE — Tu veux pus?

TI-BEU — Ma glace est en train de fondre. Faut que je me sauve.

LA VOIX DE PAULA, *fort, s'adressant toujours à elle comme à un enfant* — Zarzaise! Tu t'en viens-tu? Paula t'attend, là.

LA ZARZAISE, *à Ti-Beu* — Grouille pas. J'm'as arvenir.

TI-BEU — Écoutez je peux pas! Ma glace...

60

Mais La Zarzaise est déjà partie. Ti-Beu hésite.
Regard plein de convoitise à la fenêtre. De l'in-
térieur, on entend la Zarzaise.

LA VOIX DE LA ZARZAISE — Jos bine, y t'a-t-y
remis de l'eau à chauffer ?

LA VOIX DE PAULA — Vinyenne! J'ai oublié de guy
dire. *(Confiante tout de même.)* Y fait mieux d'y
avoir pensé tout seul... autrement je m'as y serrer
es ouïes.

LA VOIX DE LA ZARZAISE — Je vas voèr.

Ti-Beu, vaincu par son désir, remet en place la
caisse et monte dessus.

LA VOIX DE LA ZARZAISE, *au bout d'un instant —*
Y a pas une goutte d'eau chaude su le poêle,
et pis le bâleur est vide.

LA VOIX DE PAULA, *très en colère —* Tu me contes
des blagues !

LA VOIX DE LA ZARZAISE — Juré, craché !

LA VOIX DE PAULA — Ah! le gériboère! C'est bon
rien qu'à teigner. *(Désespérée.)* C'est que m'a
faère? Y a mes tartes aux fraèses... *(Au bord des*
larmes.) Ma pâte est même pas roulée !

LA VOIX DE LA ZARZAISE — Ben, prends l'eau da
champlure.

Elle ouvre le robinet. Bruit de l'eau dans un réci-
pient.

LA VOIX DE PAULA — De la froède? Viens-tu folle?

LA VOIX DE LA ZARZAISE — Batége! Y fait assez
chaud déhors.

LA VOIX DE PAULA, *avec une hésitation —* Montre
donc, voèr... *(Résignée.)* Okay, d'abord, varse.

Mais varse doucement. *(Cri.)* Aye! Câlique!
Tu me gèles!

LA VOIX DE LA ZARZAISE — T'as donc ben a peau
courte?... Hourra, donç! T'es saucée, astheure.

Nouveaux bruits d'eau.

LA VOIX DE PAULA, *comme si on lui plongeait
une lame dans le dos* — Aahaye! Arrête-moé ça
tu suite, saudit, arrête! Veux-tu me faére attra-
per mon coup de mort? *(Vivement.)* Et pis ervires
pas ton vaisseau dans le bain, pour l'amour du
ciel, tu refrèdirais mon eau.

LA VOIX DE LA ZARZAISE — C'est que m'as faére
avec d'abord?

LA VOIX DE PAULA, *l'imitant* — «C'est que m'as
faére avec, d'abord?» *(Martelant les mots.)* Va
le mettre su le poêle! L'eau va tiédir. Frette de
même, je peux pas.

*Ti-Beu, qui s'évertuait dans le carreau pour tâ-
cher de voir sans être vu, redescend précipitamment, cherche un instant sa pince à glace et va
sortir quand paraît la Zarzaise.*

LA ZARZAISE — Ben, attends! Si tu veux a voèr,
attends que je l'essüye.

TI-BEU, *embarrassé, pour dire quelque chose* — Une
chance encore que vot'lavage est feni: pus d'eau
chaude!

*Derrière l'épaule de Ti-Beu, le regard de la Zar-
zaise est soudain capté par quelque chose qu'elle
fixe sur le mur. Elle s'y dirige, se hisse sur la
pointe des pieds pour se trouver à la hauteur de
ce qu'elle observe. Un temps.*

LA ZARZAISE, *avec un sourire béat* — Zune! Zune! Zzzune!

Et puis elle suit dans l'air le mouvement de quelque chose qui se déplace.

LA ZARZAISE, *heureuse* — Y volent ensemble! Tous es deuses. L'une par-dessus l'autre.

Elle marche dans la pièce, le nez en l'air. Puis elle s'arrête de nouveau près d'un mur.

TI-BEU — Qui ça?

Ti-Beu s'approche, comprend, n'en revenant pas ce qui excite la curiosité de la Zarzaise.

LA ZARZAISE, *à Ti-Beu* — Quand y volent tous es deuses ensemble, qui c'est que c'est qui ronne?

TI-BEU, *après un haussement d'épaules méprisant* — Je le sais-t-y, moé?

LA ZARZAISE — Chose sûre, c'est pas c't-elle-là d'en-dessus.

TI-BEU — Ça fait que c'est c't-elle-là d'en-dessour.

LA ZARZAISE — Pourquoi?

TI-BEU — Je commence à voèr en tous cas pourquoi c'est faére qu'y vous appellent de même.

LA ZARZAISE, *répétant sa question* — Pourquoi?

TI-BEU, *se méprenant sur la question* — La Zarzaise. Z'en êtes toute une.

LA ZARZAISE — C'est toé le niaiseux, les deuses peuvent voler en même temps!

TI-BEU, *après un moment d'étonnement, se prenant à la discussion* — P't'être, mais y en faut ben une qui mène.

LA ZARZAISE — Pourquoi faère?

TI-BEU — Autrement, y-z-iraient nulle part.

LA ZARZAISE — Y peuvent décider tous es deuses où c'est qu'y vont!

TI-BEU — Ouais? Ben comment?

LA ZARZAISE — En se parlant, quecombe. Y se parlent! Comme nus autres.

TI-BEU — Ah! oui? Y se disent: «Atterrissons euh... su a tablette, là, au ras l'eau de javelle, ou be donc dans passe du châssis?»

LA ZARZAISE — C't'affaére!

TI-BEU — Jamais entendu ça, moé.

LA ZARZAISE — C'est parce que tu sais pas leu langue. Y parlent mouche.

TI-BEU — Y parlent mouche! Comme si ça existerait. Les mouches parlent pas.

LA ZARZAISE — Les mouches parlent pas? Sainte bénite! Les mouches parlent pas!

TI-BEU — Vous les avez déjà entendues se jaser, vous?

LA ZARZAISE — Quand y disent «Zune-zune», hein?

TI-BEU — C'est pas des parlements, ça. C'est des bruits. Ça veut rien dire.

LA ZARZAISE — Zzune, zzzzune!

TI-BEU — Je me demande pourquoi que je dépense de la salive pour m'ostiner avec vous, vous êtes même pas assez fine pour comprendre.

La Zarzaise, en poursuivant la discussion, se dirige dans un coin, ouvre une armoire au bas de laquelle, derrière des pains de savon empilés, elle trouve un grand pot de verre où volent des dizaines de mouches, qu'elle amène à la lumière.

LA ZARZAISE — C'est pas des parlements... dans ta langue! C'est des mots mouches. Dans le mouche, zune-zune, ça veut dire: «Jee-wiz! Ma véreuse, que tu me chatouilles!»

TI-BEU — Je vous parle pus, vous êtes complètement à côté de la coche.

La Zarzaise tape sur le couvercle du pot pour faire descendre les mouches, puis elle applique la paroi de verre contre le mur avec beaucoup de précautions. Enfin, elle soulève délicatement le couvercle et vite, très vite, elle précipite dans le pot une mouche qui se trouvait posée à cet endroit.

LA ZARZAISE — Clacmax!

TI-BEU — «Cracmax» Qu'est-ce ça mange en hiver, ça?

LA ZARZAISE — Tu comprends pas rapport que c'est pas ta langue.

TI-BEU — Beau dommage!

LA ZARZAISE — C'est ma langue secrète. Je sus tout seule à parler.

Ti-Beu hausse les épaules. La Zarzaise s'assied par terre et contemple les mouches dans le bocal de verre, l'air fasciné. Ti-Beu, mal à l'aise, se demande ce qu'il fait là et recommence à vider les volailles lorsque la voix de Paula se fait entendre par le carreau.

LA VOIX DE PAULA — Zarzaise!

LA ZARZAISE, *sans bouger* — Oui?

LA VOIX DE PAULA — Tu parles encore tout seule?... C'est que tu brettes, là? El linge est-y sorti du bleu?

LA ZARZAISE — C'est ça. Je vas passer au bleu dans l'eau frette!

LA VOIX DE PAULA — Ben va donc dégreyer es cordes à linge, d'abord... Je me demande... je serais-t-y mieux de porter ma robe varte ou ben ma robe-soleil avec un boléro? *(Pas de réponse. La Zarzaise paraît n'avoir pas entendu. Un temps. Pour elle-même.)* Je serais mieux avec un boléro su es épaules. Des fois, un coup a fraèche tombée...

TI-BEU, *au bout d'un instant passé dans l'indécision, suggestionnant la Zarzaise, bas* — Vot'eau est p't'être chaude?

Pas de réponse. La Zarzaise continue à regarder fixement à travers la vitre du bocal. Un temps.

LA ZARZAISE, *très concentrée* — Je les regarde de haut. Je voés toute ce que c'est qu'y font. Je sus comme el bon Yieu... Je sus *leu* bon Yieu à eux autres. *(Un temps. Elle soulève tout à coup* ments... Du vent, de la poussière. Des craques, qui tremblement de terre. *(Onomatopées pour exprimer un cataclysme: sifflements, grondements. Elle prolonge les secousses.)* Partout des éboulements... Du vent, de la poussiére. Des craques, qui s'ouvrent assez grand pour des mésons!... Beaucoup de mortalité, comme de faite. L'Unité Sanitaire ramasse les morts, par centaines de centaines, pour es domper dans un fossé avant que les grand's maladies pognent. *(Transportée dans son délire imaginatif, sa voix baisse peu à peu jusqu'au chuchotement.)* El fléau du bon Yieu a cogné. Les genses crèvent de faim pis de soèf.

(*Un temps. Elle contemple le bocal. Puis elle se lève et le place sur le rebord d'une moustiquaire, comme saisie d'une idée.*) El soleil flambe su a pourriture. El vent est sec. (*Chuchotement.*) El monde tombe dans es chemins en tâchant de se sauver. Tous es murs sont à terre. Mais y a pus d'erfuge pour se cacher quand el bon Yieu fesse !

Ti-Beu est demeuré sur place, pendant la durée du séisme.

TI-BEU, *après un moment* — Vous parlez quasiment comme les nouvelles au radio... Drôle de jeu.

La Zarzaise est à genoux, agrippée au rebord de la fenêtre, le visage collé à la paroi du bocal.

LA ZARZAISE, *avec une voix d'emprunt, celle d'une vieille femme* — Au secours, Dônat, je me meurs ! Apporte-moé de l'eau, pour l'amour de Yieu. Un peu d'eau, autrement je sus morte. (*Changeant de voix.*) Où ce que tu veux trouver de l'eau, Alvine ? Tout le monde va mourir. Je n'ai pus pour longtemps moé-même. (*Changeant encore de voix.*) Medjé, disons encore un chapelet avec le peu de voix qui nous resse. Supplions le ciel de nous prendre en piquié.

Ti-Beu s'approche de la Zarzaise et se penche sur le bocal.

TI-BEU, *dégoûté* — Mais c'est plein de mouches là-dedans ! Ça grouille de varmine ! C'est que vous voulez faére avec ça ?

67

LA ZARZAISE, *levant la tête, avec un sourire* — Y sont en train de mourir.

TI-BEU — On peu es tuer sans es faére souffrir! Mettez-leu de la poèson.

LA ZARZAISE — Faut qu'y souffent. Faut qu'y expisent!

TI-BEU, *regardant de plus près* — Aye! T'as même pas parcé de trous d'aèr.

LA ZARZAISE — J'en veux pas! Je les garde au soleil jusse pour ça: que tout le monde tire une langue chesse comme du bois. Faut qu'y voèyent comment ce que c'est en enfaèr... Pour leu bien! Si y ont assez peur, y vont s'arranger pour pas y aller.

TI-BEU — Ouais, on est pu au radio, là, c'est le sarmon.

LA ZARZAISE — Et pis c'est vrai à part ded ça!

TI-BEU — Ouais... manquabelment.

LA ZARZAISE, *de but en blanc* — Moé, j'vas faère une sœur.

TI-BEU — Une sœur?

LA ZARZAISE, *non sans quelque vanité* — Mouain! Ma mère dit que c'est toute ce que je peux faère. A demande tejours à Renelle, à Lucile, à Robartine pis à Paula de faire ben attention devant moé. «Tenez-la innocente», qu'à leu dit, «autrement es sœurs en voudront pas. Même pas pour faére leus commissions ou ben non pour quêter. Si a reste de même, y feront p't'être une touriére avec.»

TI-BEU — Aye! Aye! Aye! Même pour laver leu plancher à quat' pattes y voudraient pas de toé, espèce de zarzaise. Une sœur! On sait même pas qui c'est qu'est ton pére!

68

LA ZARZAISE, *protestation véhémente* — Moé non plus je le connais pas! Je l'ai jamais vu rapport qu'y était pus là quand je sus venue au monde.

TI-BEU — Si tu penses que t'as rien que ça à dire aux Sœurs pour qu'y te sortent un vouèle des boules à mites...

LA ZARZAISE — Mon pére, là, y était parti même avant que Paula soèye née. Je me demande ben comment ce que je pourrais le connaître?

TI-BEU — C'est une maudite bonne raison.

LA ZARZAISE — Sartain!

TI-BEU, *insinuant* — Mais p't'être ben que Paula, elle, a le connaît ton pére?

LA ZARZAISE, *sans rien comprendre aux subtilités de Ti-Beu* — Aye! Ça se peut pas! Était ben que trop petite quand y a arrêté de venir! Après que le moulin aye eu farmé, el monde était toute venu pauvre. Lui, y voulait pas virer bûcheron, ça fait qu'y a resté en ville.

TI-BEU — C'est pourtant pas qu'y lèvent el nez su es bûcherons dans famille.

LA ZARZAISE, *à brûle-pourpoint* — Veux-tu, m'as y aller à parade da Saint-Jean-Baptisse avec toé demain apras-midi?

TI-BEU — Pourquoi c'est faére tu me demandes...

LA ZARZAISE — Ben c'est mes sœurs: y arrêtent pas de renoter que les garçons de par icitte leu demanderont jamais pour sortir. Ça fait que je te demande, moé.

TI-BEU — Paula, a voudrait-y si je guy demanderais?

LA ZARZAISE — Aye! Pense donc! Avec el monde qu'y va y avoir icitte! Si a sort, a sera pas à court d'escorte.

TI-BEU — Sortir avec toé! T'as les pieds par en-
dedans!

LA ZARZAISE, *après un coup d'œil à ses pieds* — Tu
me trouves lette?

TI-BEU — Un peu!

LA ZARZAISE — Je sus pas coquel'œil.

TI-BEU — Ben jusse.

LA ZARZAISE — Lette comme moi? *(Ti-Beu hésite.)*
Lette comme une mi-carême? Ou be donc...
comme une queue de poêlon?

TI-BEU, *galant* — Lette comme un péché... Mortel.

LA ZARZAISE, *riant* — Aye! Ça c'est lette.

TI-BEU — Je peux pas t'amener à parade da Saint-
Jean-Baptiste demain rapport que j'y vas avec
euh... *(Cherchant.)* Agathe...

LA ZARZAISE, *vivement* — Agathe Dolbec ou be donc
Agathe Groleau?

TI-BEU — Ouais euh... c'est en plein ça: Agathe Groleau.

LA ZARZAISE — Agathe Groleau. La fille du maire,
(Comme citant un texte.) La beauté et la distinction réunies.

TI-BEU, *plissant le front* — C'est que tu dis?

LA ZARZAISE, *de même* — Des cheveux plus dorés
que a moésson, un front d'albâtre, un teint...

TI-BEU, *l'interrompant* — Aye, un instant! Est même
pas blonde, Agathe Groleau! Est pas pire pareil,
c'est pas à cause, mais est pas blonde.

LA ZARZAISE — Ça fait rien, c'est de même qu'on
est quand qu'on est belle. Et pis riche à part ded
ça: a toute pour elle. A reste dans une méson
que le pére che nous leu-z-a bâtie: un vrai châ-
teau. *(Reprenant le ton de la citation.)* L'incarnat

70

de ses lèvres faisait pâlir la rose de la pâssion. À sa vue, les fleurs exhalaient leu parfum comme un encens pour une déesse... C'est de même que je serai, en tous es cas, quand ej serai partie d'icitte.

TI-BEU — Comment ça, partie d'icitte ?

LA ZARZAISE — Là, je sus lette, c'est vrai. En seulement, plus tard, bâdrez-vous pas, je serai a plus belle. Les genses se dévireront dans rue. Y diront, comme dans *Le Pionnier* : « La beauté et la distinction réunies ! »

TI-BEU — Tantôt tu disais que t'allais faére une sœur.

LA ZARZAISE — Ben oui ! Ça, c'est après.

TI-BEU — C'est qu'y est après ?

LA ZARZAISE — Quand ej serai a plus belle ! D'abord je vas me faére sœur pour les contenter euxautres. *(Du menton, elle désigne la porte de la maison.)* Mais c'est là que je me méto... *(Elle hésite.)* méto... marphoserai en champignon. Ah ! non, je veux dire : en papillon. Comme une chenille, tu sais ben, qui se change dans sa boule de ouète, dans le noèr, pis que quand a sort, est comme l'épinglette à Renelle.

LA VOIX DE PAULA — Zarzaise !

LA ZARZAISE, *fort* — Ouais ?

LA VOIX DE PAULA — Mon eau doit ben être correcte...

LA ZARZAISE — J'y vas ! *(Plus bas, à Ti-Beu.)* M'a guy rincer à tête, pis m'a te la mener carré le long du mûr pour l'essüyer. Comme ça tu pourras a voèr tout ton saoûl.

Elle sort, laissant Ti-Beu complètement désemparé. Il prend dans ses mains le bocal aux mouches,

71

*l'approche de ses yeux, le secoue légèrement,
puis au bout d'un moment, le pose par terre.*

LA VOIX DE LA ZARZAISE — D'abord qu'à soèye
pas trop chaude, c'te coup-là.

LA VOIX DE PAULA — Aye! J'ai pas rien que ça
à faére moé, d'attendre apras l'eau. Envoèye!
(Bruit d'eau. Cri.) Ayoye! que c'est chaud!...
Ça fat rien, ça fat rien. Continue.

LA VOIX DE LA ZARZAISE — Penche-toé... Bon.
T'es parée? Je varse. *(Bruit d'eau).*

LA VOIX DE PAULA — Pas trop vite, bon! Faut que
je me brasse les cheveux en même temps.

*Ti-Beu fixe tout à coup un point près de lui, s'en
approche, puis, au bout d'un instant, son regard
semble suivre au plafond l'envol sinueux d'une
mouche.*

TI-BEU, *sursautant* — Maudit! Mon cheval! Une
chance encore que je l'ai enfargé. *(Il se prend la
tête à deux mains.)* Okay que le pére va me ramasser mais que je revienne à méson! *(Imitant la voix
de son père.)* «Dire que c'est moé qui t'a recom-
mandé à Chabotte!»... J'entends a litanie d'icitte.

*Néanmoins, incapable de partir il se remet sur la
caisse de bois et reprend le guet. Les bruits d'eau
diminuent.*

LA VOIX DE PAULA — Y en a pus? T'a toute varsé?

LA VOIX DE LA ZARZAISE, *coup sur le seau de
métal* — Finie, l'eau chaude! Sors que je t'essüye.

LA VOIX DE PAULA, *attendrie* — Tu vas frotter le
dos à Paula? Eh! qu'a l'est fine, ma Zarzaise!

*Ti-Beu est comme figé sur place pendant les se-
condes qui suivent. Puis il glisse la main dans la
poche de son pantalon, et l'enfonce.*

LA VOIX DE LA ZARZAISE — Aye! Tes jeveux
frisent toute! C'est y assez beau!

LA VOIX DE PAULA — La prochaine fois que je
vas me faére donner un parmanent, je t'emmène
avec moé chez a coèffeuse en ville.

LA VOIX DE LA ZARZAISE, *enthousiaste* — Chez
Rolande? Pour de vrai?

LA VOIX DE PAULA — Parole d'honneur! Frotte,
frotte, aie pas peur.

Un temps.

LA VOIX DE LA ZARZAISE — Quiens! Garde c'te
sarviette-là pour tes jeveux. Je vas en charcher
une chesse su a corde.

*Ti-Beu sort précipitamment la main de son panta-
lon et la Zarzaise entre, se dirigeant vers la corde
à linge.*

LA ZARZAISE, *chuchotant, à Ti-Beu* — Est belle,
hein, ma sœur Paula? (*Ton de la citation.*) Elle
n'est que lys et que rose... hein?

TI-BEU, *embarrassé, dans un souffle* — Ouais euh...
à peu pras.

LA ZARZAISE — C'est que ça te fait de la voir de
même?

TI-BEU, *rougissant* — Ah!... je la trouve ben belle.

LA ZARZAISE — Que c'est que ça veut dire, ça?

TI-BEU — Euh... je la trouve ben manque de mon
goût...

73

LA ZARZAISE — C'est que tu voudrais guy faére, que je veux dire?

TI-BEU, *au comble de la confusion* — Moé, euh...?

LA ZARZAISE, *comme si elle lui promettait un arrangement* — Aimerais-tu ça coucher avec?

TI-BEU — Moé? Aye, chose! Si je voudrais! En seulement...

Sans rien ajouter la Zarzaise repart avec une serviette de bain. Ti-Beu, redoutant quelque indiscrétion, descend rapidement et attrape la pince à glace pour s'enfuir. Il s'interrompt près de la porte et tend l'oreille à la conversation.

LA VOIX DE PAULA — Où c'est que sont passés tout le monde? On entend rien dans méson.

LA VOIX DE LA ZARZAISE — Renelle a pas dit qu'avait un paquet au bureau de poste?

LA VOIX DE PAULA — C'est ben que trop vrai. Avait commandé du linge par el cataloye.

LA VOIX DE LA ZARZAISE — Et pis Lucile, a voulait claquer un petit somme avant de finir les commissions.

LA VOIX DE PAULA — A s'est levée de bonne heure oublie pas, pour aller qu'ri la boèsson. Y en fallait une floppée!... Ça y a pris deux voèyages.

LA VOIX DE LA ZARZAISE, *avec envie* — Si a veut mener el bal à soèr, comme de raéson...

LA VOIX DE PAULA, *amusée* — T'aimerais-tu ça, toé, ma Zarzaise, de mener e bal?

LA VOIX DE LA ZARZAISE — Ouais, parle donc pas pour errien dire. Bon! Te v'là toute ben chessée. Tu veux-tu que je te mette de la poudre bebézaune?

74

LA VOIX DE PAULA — Nenenon! Je sus pressée. Démêle-moé es jeveux tu suite.

Ti-Beu regagne en vitesse son poste d'observation.

LA VOIX DE PAULA, *criant* — Ayoye! T'es pas obligée de m'arracher es jeveux, câline! Regarde donc ce que tu fais.

LA VOIX DE LA ZARZAISE — C'est lui, là, dans fenêtre, qui me fait pardre el contrôle.

LA VOIX DE PAULA, *se récriant* — Comment? Qui, dans fenêtre?

La soudaineté de la dénonciation n'a même pas permis à Ti-Beu de se retirer avant d'être vu. Il demeure sur sa caisse en bois.

LA VOIX DE PAULA — Ah! ben, tornon! El gars de la glace qui m'examine pendant que j'ai rien su le dos. (Sa tête paraît dans le carreau.) C'est que tu fais là, toé?

TI-BEU — Ben...

PAULA, *dans la fenêtre* — Ouais. Grouille pas, voèr.

Elle disparaît. Réflexe de panique: Ti-Beu descend, file droit vers la porte, mais Paula est dans le solarium, l'interpelant alors qu'il empruntait l'escalier.

PAULA, *drapée dans ses serviettes* — Où c'est que tu cours de même, el taon?

TI-BEU, *avec un geste vers la route* — Ma... ma glace.

PAULA — Tu vas nous laisser. Astheure!

TI-BEU — Ouais... c'est ça. (*Un moment d'embarras.*) Eh! ben, euh... Salut a compagnie!

PAULA — Tu repasseras. On haï pas a visite, nus autres.

TI-BEU, *avec le sourire indécis* — Ah! oui?

PAULA, *sur un autre ton, avec brusquerie* — C'est Ti-Beu, ton nom? Ti-Beu Barette?

TI-BEU, *inquiet* — Oui.

PAULA, *avec un coup de tête* — Rentre donc un peu ici dedans.

Ti-Beu fait un pas en avant et garde une attitude contrite.

PAULA, *avec dégoût* — Vous êtes toutes pareils, les hommes: vous pensez rien qu'à profiter de nus autres.

TI-BEU, *en manière d'excuse, la regardant par en-dessous* — Vous euh..., vous êtes chépée en grand!

PAULA, *l'examinant aussi, flattée malgré tout* — Ti-Beu... Pourquoi c'est faére qu'y t'appellent de même?

TI-BEU — C'esf à méson, je suppose, quand que j'étais bebé.

PAULA, *affectant l'étonnement* — Ah! ben.

TI-BEU — Quoi?

PAULA — T'es p't'être plus en avance que t'as d'l'aèr, des fois.

TI-BEU — Aye! L'aèr c'est pas toute la chanson! Si vous voulez savoèr comment qu'à se chante...

PAULA — Ej commence à savoèr su' le boutte des doigts, c't'e chanson-là.

TI-BEU, *riant* — Pis moé qui vous crèyais choquée ben noèr!

PAULA, *reprenant son air bête* — Je comprends, que je le sus! Va pas penser que j'aime ben gros c't'es polissonneries-là.

TI-BEU — Comême, vous direz rien au pére che nous, hein?

PAULA, *avec un haussement d'épaules* — Guy dire quoè? Tu m'as rien faite!

TI-BEU — Je pourrai donc arvenir livrer de la glace che vous?

PAULA, *calculant* — De la glace, pis... peut-être d'autre chose.

TI-BEU, *avec sérieux* — Pour le sûr, des foès que vous avez besoin d'un sarvice itou... je sus votre homme.

PAULA — Oh! j'en ai ben manque vu chanter le coq. Mais quand venait le temps de compter su eux autres... pftt!... charche-moé!

TI-BEU — Ah! C'est pas mon genre, ça.

PAULA — C'est à croère!

TI-BEU — Garanti! Aye!

PAULA — Ça prend p't'être pas mal de toupette pour es jouquer dans fenêtre des cabinets pendant que les dames ont leu-z-intimité; en seulement, c'est pas ça qui fait un homme de soé-même. (*Ti-Beu reprend son air de repentir. Elle va à la glacière, l'ouvre, en sort une bouteille qu'elle tend à Ti-Beu.*) Prendras-tu queque chose? Un crème soda?

TI-BEU, *refusant* — Trop de bonté.

PAULA, *après avoir cherché où elle pourrait décapsuler sa bouteille* — Es-tu capable de déboucher une liqueur avec tes dents?

TI-BEU — Amenez-moé ça.

Il met le goulot dans sa bouche et recrache aussitôt loin de lui la capsule.

PAULA, *appréciant* — Pas pire! C'est de même, moé, que je teste si les gars ont un partiel.

Ti-Beu lui tend la bouteille. Dans le geste qu'elle fait pour la prendre, Paula desserre la serviette qui l'enveloppe, et manque la perdre.

PAULA, *coinçant la serviette sous ses aisselles et reculant vers la glacière* — Aye! chose! Y a beau faére chaud, y a des limites.

TI-BEU, *allumé* — Pas de soin: quand y fait chaud, faut prendre ses aèses.

PAULA, *renouant sa serviette* — Cout' donc, c'est-y moé ou c'est-y ma sœur qui t'a requient toute c'te temps-là de livrer ta glace apras-midi?

TI-BEU — Vot' sœur...

PAULA — Ben oui, ma sœur. *(Du menton, elle désigne la Zarzaise.)* Je te voès rôder autour d'elle me semble.

Ti-Beu pointe un doigt incrédule sur la Zarzaise qui, assise par terre, parle tout bas à ses mouches

TI-BEU — Autour d'elle?

PAULA — Ouais. Tu guy fais es doux yeux.

TI-BEU — C'est a promiére foès que je la voés, ma foe d'honneur!

PAULA — Ah! ben ça! C'est pas à cause.

TI-BEU — Et pis à part ded ça...

PAULA — A part ded ça, quoè?

TI-BEU — Ben... Est malade, comme on dit.

PAULA — Promiére nouvelle. Malade?

TI-BEU, *essayant de se tirer du mauvais pas* — Aye, oubliez pas, ej fais a ronne de glace rien que depuis que mon frére Remond reste à boucherie.

PAULA — Pis, on sait ben, t'as jamas entendu parler des filles à Magloère.

TI-BEU, *louvoyant* — Je vous connas d'une coupe de semaines... Mon frére Remond, son école est frais faite: el pére l'a arrêté, el concours était pour commencer.

PAULA — C'est ben des toquades d'habitants, ça.

TI-BEU, *avec un sourire* — Rapport au bonhomme che nous, el diplôme de septième année, c'est rien que du taponnage.

PAULA, *avec un sourire malicieux* — Tu t'ennuies pas trop da ronne de viande?

TI-BEU — J'ai assez tourmenté à méson pour aller travailler su des étrangers... On se tanne, savez-vous, de jamais avoèr une toquène de gage, que tu peux dire, je fais ce que je veux avec.

PAULA — Ej crés ben!

TI-BEU — Ça fat que le pére s'est écœuré: Y a parlé à Chabotte... Eux autres, y venait jusse de leu partir un engagé, un nommé Filteau — y laissait sa job pour aller en ville... — je sus rentré direct.

PAULA, *feignant l'étonnement* — T'as fini l'école, toé?

TI-BEU — Aye! j'ai pus quatorze ans!

PAULA — Viens donc pas! Quel âge?

TI-BEU — Aye!

PAULA — Quinze?

TI-BEU — Dix-sept! Et demi!

PAULA, *respectueuse admiration* — Oh!

TI-BEU, *désignant la Zarzaise* — A guy va-t-y à l'école, elle?

PAULA, *définitive* — A guy a été, a guy va pus. *(Humant quelque vapeur venant de la maison.)* Crémone! que ça sent bon. C'est le ragoût de Lucile qui mijote. Mes aïeux! Ça me fait penser que mes abaisses de tartes sont même pas faites! A revoèyure!

TI-BEU, *la rattrapant, sur un autre ton* — Vous guy allez-t-y au feu soèr?

PAULA — Ça se peut. Pourquoi?

TI-BEU — Ben... P't'être qu'on pourrait se rencontrer là?...

PAULA — Non.

TI-BEU, *très déçu* — Ah?

PAULA — Jamais dans cent ans.

TI-BEU — Si les autres veulent pas, c'est de leurs affaires. Moé, c'est pas pareil.

PAULA, *amusement étonné* — Quiens!

TI-BEU — D'abord moé, je sus pas de La Fourche, vous saurez. Je sus du Pioché!

PAULA — Et pis apras?

TI-BEU — Ouais ben, je dis que j'aimerais vous rencontrer pour el feu. C'est toute.

PAULA — Et pis moé, je dis non. Quand ej sors avec quequ'un, c'est en plein jour. Pis si y en a que ça démange, tant mieux!

TI-BEU, *désignant la Zarzaise* — A m'a dit qu'à parade demain vous guy alliez avec plein de monde.

PAULA — Tu me guetteras de loin, pour voèr.

Elle pirouette et rentre. Ti-Beu demeure un moment perplexe. Puis il s'apprête à partir, retenu dès le perron du solarium par la Zarzaise qui enlève le linge de la corde.

LA ZARZAISE — Mouain! Z'avez ben peur de vous montrer devant le monde avec mes sœurs... Les gars de chanquiers, eux autres, y en font pas de cas. Y sortiraient avec Paula, Renelle, Lucile ou ben même Robartine... en n'importe quel temps. L'affaére, c'est qu'y aiment pas tellement ça sortir, c't'es gars-là. Quand y débarquent du snow-mobile ou be donc du troque, y se cabanent dans méson à Magloère Prémont. Pour des touas... quatre jours même. Avant, tu sauras qu'on voyait parsonne de l'été. Quasiment pas un chat. Pis là, y se sont mis, la Compagnie de bois, à engager des journaliers l'été pour leu faére couper de la pitoune. Ça fat que...

TI-BEU — Ça fat que quoi?

LA ZARZAISE — Ça fat que: on a de la vesite à l'année astheure. T'es dur de comprenure, toé. El monde disait que les journaliers allaient sacrer le feu à forat... Y l'ont pas faite encore. Moé, je te l'arais sacré ça arait pas été une traînerie.

Elle cesse de travailler et se perd dans son rêve d'incendie.

TI-BEU, *avec mépris* — Ça me surprend pas.

LA ZARZAISE, *distraitement* — Sartain!

TI-BEU — Z'êtes pas ben. Pourquoi faére aller sacrer le feu a forat?

LA ZARZAISE, *sans l'entendre, on dirait* — L'été, à part ded ça... l'été, okay que ça flambe?

Ti-Beu se détourne avec une moue méprisante.

LA ZARZAISE, *à Ti-Beu, dans un brusque accès de colère* — El bon Yieu se tanne, pensez pas.

El bon Yieu se tanne de voèr toutes les péchés qui se commettent. *(Elle ramasse le panier de linge, rentre et l'abandonne dans le solarium pour s'emparer de son bocal de verre. Un temps.)* Des foès, l'envie me pogne de tirer ça dans le feu. Toute brûler... pour que toute soèye plus propre apras.

LA VOIX DE PAULA, *au loin* — Robartine! Lucile ervient du village... *(Elle glousse.)* Tu sais pas quoi? Mariette... Mariette Bilodeau pis Jocelyn à Cléophas... Y se marissent! *(Elle éclate de rire.)* Moé, je disais ça pas de saint bon sens, ça se peut pas... Eh! ben, paraîtrait que non: y se marissent!

Nouveau rire qui s'éloigne et se perd. Un temps. Ti-Beu s'est vivement jeté sur la table où il a repris son travail d'éviscérage.

LA ZARZAISE, *sourde* — Crip, crrip, crrrip! Les craquements du feu dans forat. El feu qui rampe pis qui gagne malgré que le monde s'asseyent à l'éteindre. El feu qui se lève deboutte toute du long de la tranchée... Pis, woups! qui saute de l'autre bord; qui galope su le village, qui tombe su a promiére méson pis l'envale tout rond; qui se darde tu suite su a voésine, pis saute su l'autre au ras... Au feu! Au feu! El monde se pousse su a plage du lac pour pas brûler avec el village. Y mettent les enfants dans es chaloupes, dans es canots... En seulement, el Lac-en-huit est pas si grand que ça. Quand el feu fera le tour, quand les flâmmes se prendront par la main pour se pencher au-dessus du lac pis se mirer dedans, c'est là que la peau de la face va leu lever, à toute

82

c'te monde-là! Pis que les mains vont leur cloquer aux ceuses qui s'accrochent apras es chaloupes. Ah! Ça va crier! Pour ça, pas de problème... Ça va hurler même! *(Elle émet une longue plainte, qui s'élève et qui plane.)* Ouais! Monsieur! Ça hurle, comme quand c'est au tour du bon Yieu de faére boucherie avec ses cochons.

TI-BEU, *mal à l'aise* — Vous faiseriez mieux de faére vot'erpassage. Y attendent apras vous à méson.

Elle craque des allumettes qu'elle précipite toutes allumées dans le bocal en soulevant vite le couvercle.

LA ZARZAISE — Je vous en passe un papier, c'est pas beau à entendre là-dedans, quand el bon Yieu se tanne pour de bon des saloperies qui se passent su a terre.

Paula paraît dans la grande fenêtre, la tête couverte de boucles maintenues par des pinces. Elle parle bizarrement car elle a des pinces dans la bouche et elle continue d'ailleurs d'enrouler les dernières mèches sur ses doigts. Elle a revêtu une nouvelle combinaison, celle-ci sans bretelles, et assez aguichante.

PAULA, *furieuse* — Eh! Câline! Faut donc tejours que ça jouse avec el feu! *(Elle quitte la fenêtre et entre précipitamment pour gifler la Zarzaise.)* Donne-moé ça. *(Elle lui arrache les allumettes des mains.)* T'as mis le feu dans le char, la semaine passée, t'es pas encore contente? *(La Zarzaise s'est recroquevillée sur elle-même, attendant que passe l'orage. Paula la regarde, lève à nouveau la main pour la frapper...)* Ej sais pas ce qui me requient...! *(Elle se domine. Changeant de ton.)* À part ded ça, laisse donc tes saudites bebites et pis agêve ton barda! *(Apercevant Ti-Beu, dans un cri.)* Bon Yieu! Tu m'as faite faére un saut, toé. *(Elle se remet de sa surprise, une main sur son décolleté; puis avec un sourire.)* Ça fat rien, je sus pas mécontente que tu sèyes là. A pas trouvé ce qu'a voulait au village, Lucile... *(Avec un soupir.)* C'est pas rien d'habiter dans es concessions... Dirais-tu à che vous d'arrêter icitte à prochaine ronne de viande?

TI-BEU — Je sus ben paré à leu dire... En seulement... el pére voudra-t-y arrêter icitte?

PAULA — Si che vous peuvent pas me vendre leu viande, comment c'est que tu veux que je sorte avec toé?

TI-BEU — Ouais, ça c'est vrai.

PAULA, *désarçonnée par la réponse* — Écoute, mets donc un peu de viande parmi es blocs de glace. Comme ça, en venant icitte, tu feras d'une pierre deux coups.

TI-BEU — Facile à dire. Savez pas comment ce que le pére che nous est particulier.

PAULA — Si tu prenais l'habitude de passer, p't'être qu'un moment donné tu pourrais venir nous voèr el samedi soèr... On est du monde de plaisir, nus autres. El samedi soèr, ça chante, ça danse... Prends-tu un petit coup des foès?

TI-BEU, *fanfaron* — Pas d'erreur, ça m'arrive...

PAULA — J'aimerais qu'on asseye ça ensemble, toé pis moé.

TI-BEU — Ça sarat pas d'erfus.

PAULA — Apras toute, c'est pas mal faére que de se distraire un brin. *(À la Zarzaise qui a recommencé à craquer des allumettes.)* Aye! Chose! Tu nous empestes avec tes allumettes! *(La Zarzaise pose la boîte d'allumettes loin d'elle par terre. À Ti-Beu.)* Sôdôme! qu'y en faut de la patiente avec elle. *(Lui désignant le canapé.)* Cout'donc, si tu pars pas, assis-toé.

TI-BEU — Je m'en vas là, je m'en vas... *(Timidement.)* Pour euh... pour la parade demain apras-midi...

PAULA — Mouain?

TI-BEU — On pourrait peut-être guy aller ensemble?

PAULA, *le regarde étonnée* — Eh ben!

TI-BEU — Ça m'en fait un pli, moé, es placotages. — C'est que vous décidez?

PAULA — Écoute, beau blond... pour commencer, je sais même pas où ce que je serai pendant a parade. Je vas peut-être ben a passer dans ma chambre.

TI-BEU — Si je ramènerais de la viande pas plus tard que demain avec moé?

PAULA — Eh! ben... si t'amènes de la viande avec toé... tu a laisseras dans glaciére avant.

TI-BEU, *n'osant pas en croire ses oreilles* — Avant... de monter?

PAULA — Aye! Pour qui c'est que tu me prends? Je sus pas une fille de même, moé! Avant de revirer voèr la parade.

TI-BEU — Si c'est comme ça, ej garantis rien pour demain. El pére che nous est ben regardant.

PAULA — El gars qui se carrera dans chambre à bibi célophane pendant a parade da Saint-Jean-Baptisse, y est pas du village d'icitte, baquais! Ni du Pioché, ni de la Côte aux Crampes, ni de

85

Sainte-Thérère de Wapouchwian, l'autre bord de riviére Masqouabina...

TI-BEU — Si ça serait un gars de par che nous, c'est qu'y faudrait qu'y faise pour que vous oublissiez d'où ce que c'est qu'y d'vient?

PAULA — Ah!... ce qu'y faudrait qu'y faise...

TI-BEU — Dites-lé. *(Paula hésite.)* Envoyez, dites-lé!

PAULA, *après un moment d'hésitation encore, tout résolument* — Fourrer une claque au Frére Manzor.

TI-BEU — A qui?

PAULA — Au Frére qui dirige la chorale. Si tu guy fourres une claque, je te laisse rentrer... Y va figurer su'le char de Monseigneur de Laval. Y fait chanter a chorale du collége... Grimpe su'le char, sacres-y une claque en pleine face devant tout le monde, et pis monte apras m'embrasser dans ma chambre.

TI-BEU — Aye! J'guy ai déjà été, dans chorale...

PAULA — Moé itou! *(Ti-Beu la regarde, surpris.)* Y me faisait demander des foès, c'te rouleau de caltor, pour que j'accompagne au piéno. Dans es darniéres pratiques quand y voulait pas s'occuper lui-même de l'accompagnage pour aller gigoter devant sa gagne de petits feluettes...

TI-BEU — Ouais?

PAULA — Eh! ben, une journée... Ma grand foè! Je sus en train de te conter ma vie!

TI-BEU — Envoèyez, ayez pas peur.

PAULA — C'est pas que ça soèye si drôle pour moé... Et pis je te connais pas ben gros pour te dire mes secrets.

TI-BEU, *pour la mettre sur la piste* — Ça fait longtemps ded ça?

PAULA — Tu parles! C'est pas d'hier que la famille à Magloère Premont est à l'index dans place. As-theure les Fréres me demanderaient pus, crains pas, pour accompagner «Notre-Dame du Canada» à distribution des prix.

TI-BEU — Mais y en vient ben manque des Fréres pour vous voèr?

Ti-Beu, confus, se rend compte aussitôt qu'il a parlé sans réfléchir.

PAULA, *piquée* — C'est qui t'a dit ça, toé?

TI-BEU — El monde, je sais pas...

PAULA — Ouais, ce que le monde bavasse dans es villages... En tous es cas, y a queques années ded ça, je me rendais au collége... Tu sais qu'on jouait toutes du piéno mes sœurs pis moé?

TI-BEU, *malin* — Du piéno étaumatique?

PAULA, *elle hausse les épaules* — Niaise donc! C'est pour se faére de l'agrément dans es veillées, el piéno étaumatique. Ce que je te parle là, c'était avant, quand on jouait des vrais beaux morceaux... La mére che nous est musicienne, tu soras, pis pas diplômée de l'Académie Sainte-Cécile de Saint-Erbrousse Poèl. A l'a passé toutes ses grades à Québec!

TI-BEU, *montrant la Zarzaise* — Elle itou a sait jouer?

PAULA — Arrête donc tes farces plates, el beau marle. *(À la Zarzaise.)* Veux-tu, chaèr, tu vas monter sa tasse de remède à Robartine?

La Zarzaise sort.

PAULA, *reprenant le fil.* — Ouais. Renelle, Robartine, pis Lucile... on a toutes été ben montrées. Mais on a discontinué le piéno chacune not'tour.

TI-BEU — Comment ça?

PAULA, *après un regard d'inimitié à Ti-Beu, dont la candeur paraît inentamable* — Pendant c'tes années là, tejours ben, la mére asseyait de faére vivre la famille che nous en donnant des leçons.

TI-BEU — A devait pas avoèr grand monde. Écartées comme vous êtes.

PAULA — C'est encore drôle!

TI-BEU — Ça faèsait-y assez pour vivre?

PAULA — Le fallait: el pére nous envoèyait pus rien. Au commencement, y nous mallait un tchèque par ci par là, y venait faére son tour... Mais au bout de trois ans, tu comprends ben...

TI-BEU, *s'efforçant à la gaité* — M'as dire comme on dit: vaut mieux manger son pain noèr de bonne heure.

PAULA, *se récriant* — Ah! Mais nus autres, les filles à Magloère, on s'aparcevait même pas que la mére avat de la misére. La méson était gaie!... Sans bon sens. C't'une femme pas mal à part, tu soras, la mére che nous... Voèyons, c'est que je disais là?

TI-BEU — El collége...

PAULA — Ah! Oui, c'est-y bête... J'arrive dans salle de musique du collége, je m'installe au piéno sans regârder parsonne, pour pas avoir l'air, tu comprends, devant toutes c'tes garçons-là... pis, quand el Frére Manzor claque des doègts, je commence à jouer ce que je trouve devant moé su a feuille. «El bourdon et la clochette» ej pense...

TI-BEU — Et pis... plouc! vous commencez quasiment tu seule, el trois quart des gars manque la partance.

PAULA — Qui c'est qui t'a dit ça?

TI-BEU — Avec un sacrilége de beau patron comme vous su'a tribune?

PAULA — J'avais tréize ans et demi... Franchement!

TI-BEU — Ah! Y a de la tauraille des foès, qui pogne el yâbe avant es pacages de trèfle!

PAULA, *appréciant* — Ouais. *(Elle hausse les épaules.)* En tous es cas, pour piquer court à travers el clos, el Frére Manzor était su es narfes c'te matin-là. Y se promenait dans es rangées en se penchant pour écouter lequel qui faussait dans gagne. De temps en temps, j'entendais qu'y descendait une grand' taloche dans face d'un gars... La chanson finissait, y a faèsait recommencer. Sans ouvrir la bouche, avec un aèr de porc frais. À des moments donnés, y venait au ras el piéno pour battre la mesure devant le groupe: j'osais pas lever es yeux de sus es notes, mais j'y voèyais es grands pieds qui ruaient dans soutane... Pis y erpartait quasiment tu suite pour varger su'es élèves.

TI-BEU — Vous deviez avoèr el gorgoton serré? Membru comme y est, pis malin avec ça.

PAULA — Comme de faite; une foès qu'y se trouvait au ras moé, je m'enfarge dans un accord... Parsonne dans salle s'arrête pour ça, moé-même je me raplombe dans seconde pis je continue... Ouais. Ben el frére embarque carré su l'estrade, y tire el banc, pis y me dit: «Sors!» — Je reste assez surprise, c'est ben simple, je me lève en hésitant...

El frére fait ni une ni deux : y me pogne par el bras — j'ai eu es marques une semaine de temps — pis y me beugle : «Vas-tu sortir, espèce de petite gueuse ? »... J'arrive à méson, me crés-tu, en braillant comme une Madeleine...

Elle cesse un moment de travailler à sa coiffure, et ses yeux continuent de rêver. Puis elle trempe son peigne à queue dans le verre d'eau et lisse une nouvelle mèche.

PAULA — La mére m'a consolée comme a pu... Mais c'est ben apras que j'ai compris que si es fréres pis es sœurs nous haguissaient tant que ça, c'est à cause que la mére che nous donnait des cours de piéno, pis qu'a leu-z-enlevait des élèves.

TI-BEU — Faut pas avoèr de cœur ni su' un bord ni su l'autre !

PAULA — Ça s'est pas arrêté là ! La mére a couru d'une traite au collége... Y guy ont même pas débarré a porte ! A été oubligée de leu crier au travers des vitres sa façon de penser... C'te foès-là, mais s'est la seule foès, hein, la mère che nous s'est retrouvée a fale basse. Là, a l'a senti sa feblesse, tu seule de femme dans le monde...

Un temps.

TI-BEU — As-tu deja vu égouisses de même ?

PAULA — Une couple d'années apras, les fréres pis es sœurs avaient fini d'y ôter ses élèves.

TI-BEU — C'est qu'y pouvaient ben colporter pour que le monde arrêtent leus enfants de prendre des leçons su vot'mére ?

PAULA — Qu'a couchait.

TI-BEU — Pas de même!

PAULA — Je veux pas le savoèr, comment. *(Temps bref. Après un sourire amer:)* Ça commencé, tiens-toé ben, qu'a se faisait montrer du doègt rapport qu'a dennait du solfége mixe. *(Elle tape dans ses mains.)* Chose! C'était pus qu'un petit chiard, ça: du solfége *mixe*, aye! Fallait pas être mal intentionné en monde pour mettre des enfants des deux sexes dans même appartement.

TI-BEU — Je gage qu'y s'est même jamais rien passé?

PAULA, *sidérée, le regarde* — Ça avait sept huit ans, je te dis! *(Elle hausse les épaules et le quitte des yeux.)* Comprends-tu, el monde autour avait beau prendre c'tes memérages-là avec un grain de sel, reste qu'y trouvait a mére che nous pas convenable d'houspiller es soutanes comme a faésait. De là à écouter, les jacasses qu'on voèyait des hommes rôder à l'entour de sus Magloère... Tu sais, une méson de femmes où ce que es femmes sont pas tristes pour deux cennes; où ce que a misére court pas manger dans main du plus fort... Le plus drôle, n'importe, c'est que les bruits qu'y semaient su not'compte ont fini par nous sarvir.

TI-BEU — Comment ça?

PAULA, *surprise de sa naïveté, après un regard de méfiance* — Devine.

TI-BEU — Pourquoi vous êtes pas parties de la place?

PAULA, *après un geste évasif, sans beaucoup de conviction* — Une méson facile à chauffer, capable de nous tiendre toutes ensemble, comment c'est qu'on aurait pu s'offrir ça ailleurs? *(Son regard le quitte.)* Eh! ben, crés-lé, crés-lé pas, me v'là fri-sée! *(Elle demeure dans l'embrasure de la fenê-*

tre, posant un pied sur l'appui pour vernir ses ongles d'orteils.) C'est qu'à brette en haut, elle? Qu'a laisse donc Robartine se reposer.

TI-BEU, *considérant le beau galbe de sa jambe* — Vous avez es pattes longues que ça pus de fin!

PAULA, *le regardant* — C'est que tu fais?

TI-BEU — Comment, c'est que je fais?

PAULA — Guy donnes-tu ou ben si tu guy donnes pas?

TI-BEU — Quoi?

PAULA — Sa claque dans face, c't'affaére!

TI-BEU — Ah!... Ouais, el frére da chorale. — Pour el mériter, y a pas à dire...

PAULA — Eh ben?

TI-BEU — Ça porte pas malheur de lever a main su'une soutane?

PAULA — On n'a ben manque erlevé des soutanes! Sais-tu que c'est pas tant ça comme de vouloèr rester indépendantes qu'y nous a porté malheur?

TI-BEU — Ej serais peut-être ben paré à le suivre, un dimanche de novembre, à sortie des vêpres, ou be donc un premier vendredi du mois, après l'heure sainte, pis à...

PAULA — Non.

TI-BEU — C'est vrai que c'est pas ben recommandable.

PAULA — En plein jour, devant tout le monde, ou rien pantoute.

TI-BEU — Ah! ben dans ce cas-là...

PAULA — C'est à prendre ou à laisser.

TI-BEU — Ecoutez, c'est pas que je soèye un pilier de sacristie, mais y a...

PAULA — Pus un mot!

TI-BEU, *après une hésitation, prenant sur la table son bouquet de lys* — Je vous avais cassé des becs d'oies, euh... *(Il les lui tend.)*

PAULA, *sans lever les yeux de son occupation* — M'as
te dire quoè faére avec. Ouvre la porte du solarium... *(Elle le sent hésiter.)* Envoèye, fais ce que
je te dis, ouvre la porte... *(Il l'ouvre et la retient
de son bras libre.)*... pis sacre-moé es becs d'oies
dans le champ.

> *Renelle, un carton à la main, a contourné la mai-
> son et, empruntant le trottoir de bois, se dirige
> vers le perron lorsque Ti-Beu, avec un haussement
> d'épaules, éparpille ses fleurs dans l'escalier.*

RENELLE, *au bas de l'escalier, un poing sur la han-
che* — Qui c'est qui fait revoler des fleurs su'mon
chemin comme si je reviendrais du Débarquement
en triomphe? Pas mes petites sœurs qui m'aiment,
pis qu'on a ben gros pâti ensemble, pis que je leu
rapporte des sacraments de bonnes résons de sauter
de joie au plafond... Pantoute! C'est le fils au
Chevalier de Colomb, en parsonne! C'ti-là qu'a
juré-cracré qu'y remettrait pus es pieds icitte...
pis qu'on y voèt a chârette dégoutter dans une
vraie swamp à côté da méson; pis qu'en plus y me
tire des fleurs su'mon pâssage! C'est pas trop,
mais... presquement.

> *Elle pose le carton dans les marches, enlève
> rapidement son chemisier, puis extrait de la boîte
> une robe courte, mais très habillée, qu'elle revet
> aussitôt, pour ensuite glisser hors de son panta-
> lon. Paula et Ti-Beu se tiennent dans les fenêtres,
> ébahis. Renelle tourne sur elle-même pour leur
> faire admirer sa robe, puis elle monte l'escalier
> avec solennité.*

RENELLE — Aujord'hui, mes cœurs, est un ben grand jour.

Elle ouvre la porte du solarium. Ti-Beu se range sur son passage en bredouillant.

TI-BEU — J'étais rien qu'arrêté finir de vider vos poulats...

RENELLE, *le toisant avec hauteur* — Vous, vous allez me prendre l'escabeau qu'est là, amont le mur...

TI-BEU — L'escabeau?

RENELLE — Ouais, l'escabeau... *(Il se dirige à l'endroit indiqué.)* Pis vous allez me le piéter... icitte *(Il le pose et l'ouvre où Renelle le demande.)* Astheure, vous allez grimper dedans... *(Il monte.)* Vous allez me pogner c'tes boètes-là... ouais, c'tes deuses-là... pis vous allez mes les descendre.

PAULA — Veux-tu ben me dire ce que t'as mangé?

Ti-Beu pose les deux boîtes l'une sur l'autre. Renelle approche, s'agenouille, et souffle un épais nuage de poussière.

RENELLE — C'est pas es décorations de Nouël. C'en est d'autres, pis qu'ont pas vu a clairté du jour y a ben plus longtemps encore.

Elle ouvre la première boîte et en tire des drapeaux rouges, portant l'Union Jack au coin gauche supérieur et les armoiries du Canada plus bas vers la droite; drapeaux fleurdelysés azur à croix blanche, frappés en plein centre du cœur saignant ceint de la couronne d'épines; drapeaux jaunes du Vatican, avec la tiare et les clefs de Saint-Pierre...

RENELLE — La foès qu'on a décoré a méson avec c'tes drapeaux-là, les Sovages nous avaient pas encore amené a Zarzaise mais y étaient en chemin: c'est a darniére année qu'on a eu des nouvelles du pére che nous. Vu qu'y était question d'une grand virée pour encourager es colons, pis qu'on était a plus belle méson du boutte el plus creux, la Fête-Dieu sont venus jusque sus Magloère, vrai comme je vous parle: c'est nus autres, pis parsonne d'autre qu'on a eu le reposoèr dans le rang.

PAULA — Ouais. Ben je pense pas que ça se représente c't'année, ça fat que...

RENELLE, *ayant regardé Paula* — C'est que tu dirais si... euh..., si... *(Son sourire s'épanouit; elle fait un geste évasif et des coquetteries avec les doigts.)*

PAULA — Envoèye! Dis-lé ou ben dis-lé pas!

RENELLE, *fourrant les drapeaux dans la boîte* — Où c'est qu'est a Zarzaise?

PAULA — En haut, avec Robartine.

RENELLE — Je m'en vas a trimer. Faut qu'a aye l'aèr du monde demain su'a galerie.

PAULA — Comment ça su'a galerie?

RENELLE — Demain, on va fêter une avanement que le monde va se souvenir encore dans dix générâtions. *(À Ti-Beu, brève.)* Toé, va me charcher une brassée de bois dans remise. *(À Paula.)* Ça va monter du Townsite pour venir fêter ça avec nus autres!

Paula a l'air ahuri. Ti-Beu descend les marches et sort par l'avant-scène, du côté opposé à celui-où il a précédemment circulé.

LA ZARZAISE, *criant avant qu'on la voit* — Paula! Paula! Robartine vient de tomber sans connaissance!

PAULA — Sans connaissance? Voèyons donc!

RENELLE — C'est qu'y est arrivé?

LA ZARZAISE — Ben, je guy ai monté sa tasse de remède, avec el Pionnier, que Lucile avait mis dans es poteaux de l'escalier. A m'a lu a fin de «L'Héritière du Marquis de Montcalm» par Marielle de Beaubois... pis là, comprends-tu, a s'est remis à brailler! ...el dos rond, dans sa robe de chambre jaune barrée varte, comme une bebite à patate... *(Elle imite l'attitude de Robartine.)*

PAULA, *impatientée* — Zarzaise! C'est pas beau de conter des menteries. A s'est endormie apras, a pas pardu connaissance.

LA ZARZAISE — C'est pas des menteries! Un moment denné, a se lève pour charcher ses images de bebés qu'a regarde tout le temps... pis en passant au ras a fenêtre, a me demande à qui c'est a chârette qu'est encore devant a méson. «C'est Ti-Beu Barrette au boucher, qu'y a mène», que j'y dis. Là, a s'arrête net, fret, sec de brailler. A me regarde de même *(Elle écarquille les yeux.)* ...pis à s'écrase à terre. Z'avez pas entendu el bruit?... Schloc!

PAULA — Bonne Sainte-Anne! *(Elle sort en criant.)* Lucile! Viens m'aider!

RENELLE, *à la Zarzaise* — Prends donc a fiole de vinaigre, en passant. Pis la bouteille de brandy dans le salon.

La Zarzaise sort. Renelle, inquiète, ramasse le seau avec lequel la Zarzaise a vidé la lessiveuse,

et se rend à l'évier pour l'emplir. Ti-Beu paraît
avec se brassée de bois et monte les marches...

RENELLE, *tendant la main en direction de la cuisine*
— La boète à bois...

TI-BEU, *avec un beau sourire* — Quiètez-vous pas, je la
trouverai ben.

Ravi de pénétrer plus avant dans l'intimité des
lieux, il entre... On le voit passer par la grande
fenêtre, puis on entend le fracas des bûches dans
la boîte.

RENELLE, *fort, posant le seau d'eau sur l'embrasure*
de la fenêtre — Emplis-moé el bâleur tant que
t'es là.

TI-BEU, *dans l'embrasure* — Je me disais ça tantôt,
euh... Un homme dans c'te méson-citte, ça serait
pas du gaspillage.

RENELLE — Mettons que... Faut d'abord que le gars
faise ses preuves. Ça t'intéresse-t-y?

TI-BEU — Ah! C'est pas à cause. Moé, euh... j'ai une
bonne job. En seulement...

RENELLE, *lui tendant le seau* — Quiens! Va donc me
vider ça.

La Zarzaise paraît dans la porte, et semblera tout
à coup frappée par la conversation de Renelle et
du garçon.

TI-BEU, *s'éloignant avec le seau* — A'-vous vu a
remise? Est couvarte d'écorce pis de copeaux...
On dirait es abords da riviére après a drave.

RENELLE — Pis tu voudrais nous mettre de l'ordre
là-dedans, toé.

TI-BEU — J'ai pas dit ça, aye! Travailler sous es commandes d'une femme... Jamas! — Mais, euh... par asampe...

RENELLE — Ben arrête de te tortiller. As-tu envie?

TI-BEU, *essayant de se jeter à l'eau* — Mam'zelle Paula... a disait t'à l'heure que... si je rapporterais da viande demain, ben euh...

RENELLE, *troublée* — Lucile enna pas ramené?

TI-BEU — Apparence que non... Ben Mam'zelle Paula, si je ramènerais, euh... disons une belle fesse de jambon euh... Pensez-vous qu'a...?

RENELLE, *croyant comprendre* — Ecoute, ti-gars! T'es ben que trop jeune. Ça-t-y du bon sens!

La Zarzaise entre, prend le bocal aux mouches et va le ranger dans l'armoire. Renelle la suit un instant des yeux.

RENELLE, *à la Zarzaise* — Eh! ben?

LA ZARZAISE — A va mieux: a s'est remis à brailler.

RENELLE — Ah!

LA ZARZAISE — Et pis Paula m'a mis à porte, rapport que ça se parle. *(Plus bas, à ses mouches.)* Bon, ben bonsoèr, là. Faèsez-moé un beau dedo. Autrement m'as me fâcher!

TI-BEU, *sursautant* — Hein! Bon Yieu! Je serai pas rendu che nous avant a nuitte. *(Il revient dans le solarium.)* Chabotte va ben s'avoèr arraché les queques jeveux qu'y guy restent.

RENELLE — Mets-moé donc encore une choguiérée ou deux su'le poêle, avant de partir.

TI-BEU, *après une hésitation* — C'est ben rien que pour vous ac'moder.

RENELLE — Zarzaise! Grapille pas dans mes boêtes-là.

LA ZARZAISE, *tirant la litanie de drapeaux* — Aye pourquoé faère, ça?

RENELLE — C'est une surprise. Pour demain.

TI-BEU, *intrigué* — Comment ça, pour demain?

RENELLE — C'est pas a Saint-Jean-Baptisse pour tout le monde demain?

TI-BEU — Vous allez décorer a galerie?

RENELLE — La galerie, les fenêtres, el petit balcon...

LA ZARZAISE, *battant des mains* — Oooh! Que c'est plaèsant! Oooh! que je sus contente!

RENELLE, *qui lui pince la joue* — Va me charcher a grand casserole en granit, veux-tu?

La Zarzaise sort. Renelle se met à peler des oignons. Paula entre, préoccupée.

PAULA — Je sais pas ce qu'a l'a. A pique une vraie crise de narfes.

RENELLE — Robartine?

PAULA — Veux-tu monter?

RENELLE, *après un geste d'impuissance* — Est pas sans savoèr ce qui l'attend c'te nuitte.

PAULA — Ça fait queques jours que la Sovagesse y a dit qu'a viendrait dans le plein de la lune: y a d'autre chose qui vient de guy arriver.

RENELLE — Est tu seule dans sa chambre!

PAULA — Y a d'autre chose, je te dis.

RENELLE — Voèyons donc!

PAULA — A commençait à se calmer. A se faèsait une réson, rapport à Sovagesse.

RENELLE — Comme si a savait pas que c'est mieux pour elle de se débarrasser de ça. — L'affaére, c'est qu'y faut tejours qu'a attende qu'y soèye trop tard !

PAULA — Tu sais ben qu'a voulait pas le dire.

RENELLE, *alarmée* — Comment ça? Est-y encore tombée en amour?

Paula hausse les épaules. La Zarzaise revient avec une double lèchefrite, où Renelle tâche d'aligner le plus grand nombre possible de poulets. Puis elle les accomodera au sel et au poivre, après avoir disposé ses oignons.

LA ZARZAISE — On commence à décorer tu suite?

Elle se précipite sur la deuxième boîte et en sort de petits drapeaux montés sur baguette, et des porte-drapeaux en forme d'écusson.

RENELLE, *à la Zarzaise* — Pas aujourd'hui, ma corneille. Demain.

PAULA — Ouais! Lâche-nous es décorations. Franchement!

RENELLE, *à la Zarzaise* — D'abord, c'est rien que demain qu'on saura pour le sûr, si on va avoèr la parade dans le rang.

PAULA, *abasourdie* — C'est qu'on va savoèr?

RENELLE — T'as pas compris ce que je viens de dire?

PAULA — Non!

RENELLE — La parade va passer icitte demain.

TI-BEU — Quoi?

PAULA — Renelle! Erviens-en!

TI-BEU — La parade, a travarse el village par la rue Barrymore, pis a s'arrête au bord da riviére pour el grand pique-nique.

RENELLE — C'est ben c'te chemin-là qu'a devait prendre.

PAULA — Qu'a devait?

RENELLE — Ouais!

PAULA — Agève donc! Renelle!

RENELLE — Savez-t-y combien ça prend de times de chevaux pour traîner le char allégorique da compagnie?

TI-BEU, *vivement* — Trois. Trois times.

RENELLE, *sentencieuse* — C'est toute un char, ça.

PAULA — Qu'est-ce ça vient faére?

RENELLE — Savez-t-y que les scouts, pis la fanfare, pis le club de hockey... c'est toute la Compagnie qu'a parti ça dans place?

PAULA — Fallait ben: el monde icitte était trop pouilleux pour errien partir tout seux.

RENELLE — Eh! ben, c'tes organisations-là sont toutes dans parade demain.

Paula commence à réaliser le sérieux de l'annonce.

TI-BEU, *candide* — Pis es banderolles, d'un travers à l'autre da rue Barrymore, avec 25e anniversaère dessus, c'est a Compagnie qu'es a arrimées.

RENELLE, *à Paula* — El président da Saint-Jean Baptisse... devine qui ce que c'est?

TI-BEU — Amance Truchon!

RENELLE — Ouais. C'ti-là même qu'est organisateur du parti.

PAULA — Et pis après?

RENELLE — Les élections s'en viennent, ma poulette. C'est qui, qui met es cennes dans sa caèsse?

PAULA, *après une courte pause* — Je voés pas le rapport.

RENELLE, *triomphante* — Ben c'est demain que tu vas le voèr!

PAULA — Mais... t'es folle? Y feront jamas ça.

RENELLE — Gage pas, tu pardrais.

PAULA — Jamas!

RENELLE — El curé... Y se morfond ben gros de son église en bois... Y dit qu'y craint tejours el feu, rapport aux Saintes Espèces... Y avait pensé, pour el vingt-cinquième anniversaère, qu'y creuserait a premiére pelletée da nouvelle église...

TI-BEU — Ben sartain! La Compagnie guy denne el terrain gratis.

RENELLE — Pis a Compagnie va peut-être même payer es colonnes...

PAULA, *ébranlée, après un temps* — Ah! ben sybol! Y a du gripette en dessour ded ça.

RENELLE, *avec un ineffable sourire* — Des bonnes paroèssiennes comme nus autres, ça s'intéresse! On a beau être loin, faut qu'on faises not' effort comme les autres.

TI-BEU — Aye, là! Vous vous faisez des idées, j'aime autant vous le dire, si vous pensez faére grimper a parade dans es rangs!

RENELLE — Dans es rangs... (*Elle mord dans les mots.*) pis jusque devant sus Magloère Premont, mon homme!

PAULA — On n'a déjà eu, des parades; ça serait pas a promiére.

TI-BEU — Ouais, la Fête-Dieu, y a quinze, vingt ans.

PAULA — Y n'a eu une autre, chaèr, que t'as de l'aèr d'oublier, mais que nus autres on a encore su'le cœur.

TI-BEU — Ah! oui?

PAULA — Pis ça fait pas quinze ans ded ça... Toute el village avait essaimé su' a butte à Philorum Bécotte. Ça priait darriére la grand croèx d'argent pis es enfants de chœur, durant que le curé, avec sa choguiérée d'eau bénite tirait des gouttes vers su Magloère pour chasser el guiâbe du rang...

RENELLE, *réunissant d'un geste affectueux la Zarzaise et Paula autour d'elle* — Ah! mes petites sœurs... El beau jour, qu'on va avoèr demain! El beau jour!

TI-BEU — Jamas que le village feront ça! Je sus pas en peine.

PAULA, *ennuyée* — Laisse-nous tranquilles, chose. Va-t'en. On a trop de patentes à se raconter entre nus autres, trop d'affaéres qu'y faut qu'on se souvienne, pour se préparer à jouir da parade comme faut.

TI-BEU — Ouais ben, laissez-moé vous dire que vous êtes sonnées, hein!... *(On ne l'écoute plus. Il se sent de trop.)* Mais euh... j'ai pas coutume de coller sus le monde, moé. Salut! *(Il va sortir, mais voyant qu'on ne le rappelle pas, il se retourne. Sur un autre ton.)* En t'es cas... si je peux vous monter da viande demain, je m'as ervenir.

Paula se retourne vivement.

RENELLE — Y a parlé d'amener une fesse de jambon.

PAULA, *très étonnée* — C'est toute?

TI-BEU — El pére che nous est pas aveugle, coutdonc.

PAULA, *à Renelle, avec un certain sourire* — C'est toute ce qu'y a dit?

RENELLE — C'est toute ce qui a *réussi* à dire... Pis y a ben fortillé avant de le lâcher.

PAULA, *à Ti-Beu* — Avec el jambon... mets-moé donc une couple de livres de belle panne de lard... Et pis du veau... avec du porc dans le maigre, si t'en as... hachés, cinq ou six livres en toute. *(À Renelle.)* On demanderait à Lucile de nous faére des cretons à panne; c'est c'mode pour el déjeuner, avec des patates... *(À Ti-Beu.)* Ça va-t-y comme ça?

TI-BEU, *un peu offusqué* — Gênez-vous pas, euh...

PAULA — Mon darnier mot. A prendre ou be donc à laisser.

TI-BEU, *après un déplacement vers le perron* — M'as y penser.

RENELLE — C'est ça, penses-y. Salut ben!

Ti-Beu s'en va. Paula se précipite derrière lui avec la pince à glace.

PAULA, *haut* — Aye! Baquais!

Il se retourne et apercevant l'objet que lui tend Paula, court dans les marches pour le reprendre. Mais la fille dissimule la pince derrière elle au moment où il allait s'en saisir. Après une courte hésitation, il s'approche très près de Paula et la regarde dans les yeux.

TI-BEU — Mon nom, c'est Ti-Beu.

Puis il lance la main pour s'emparer de la pince; mais Paula ne songe même plus à la dérober.

PAULA, *mollissant dans le bras qui la ceinture* —
Tâche de revenir. On te trouve pas aussi haguissable que les autres.

Ti-Beu s'éloigne sans répondre. Paula croise les
doigts des deux mains à hauteur de visage pour
faire signe à Renelle qui la regarde monter.

RENELLE — C'est ben ce que j'erdoutais : y t'est tombé dans l'œil.

PAULA — Perds-tu a boule ? Je pensais à parade.

RENELLE — El boutte du nez te tremble, ma fille.

PAULA, *avouant* — Y est regardable... Mais j'arais
jusse à me rappeler es badeloques à Robartine,
pis je me guérirais.

RENELLE, *après un signe d'approbation à Paula* —
Ouais... Allons tejours la déménager dans le grenier, elle, avant que les bûcheux arrivent.

LA ZARZAISE — Pis tes poulats ? C'est pas su a table
qu'y vont cuire.

RENELLE — Cordés comme on va être demain, c'est
pas le temps des oublier.

Paula la regarde. La Zarzaise et Renelle pren-
nent chacune une partie de la lèchefrite avec
trois poulets dedans, et rentrent, suivies de Paula,
pendant que se fait le noir.
Quand la lumière monte, les cordes sont à nou-
veau lourdes de linge. Cette fois, ce sont des
chemises à carreaux qui se trouvent suspendues,
de même que des culottes d'étoffe, des chausset-
tes de laine, des caleçons et même des bottes.
La porte de la maison s'ouvre avec fracas et
la Zarzaise, de dos, tâchant de parer les claques

*qui pleuvent sur elle surgit dans le solarium,
poursuivie par Renelle. La Zarzaise emprunte le
perron et les marches au moment où Renelle,
près de la porte attrape le balai pour la frapper
de plus belle. La Zarzaise, alors se blottit dans
l'escalier, roulée sur elle-même, pour laisser passer la tempête. Renelle, après une hésitation, levant à bout de bras le balai, le lance par-dessus
la Zarzaise, dans la cour, et s'écroule à côté
d'elle, dans les marches, l'air complètement
anéantie.*

*La Zarzaise dresse prudemment la tête au bout
d'un moment. Elle a les cheveux roulés sur des
papillottes, et porte une robe un peu enfantine
pour sa taille, qu'elle n'a d'ailleurs pas eu le temps
de boutonner. Elle fixe Renelle, immobile. Puis
elle commence de se déplier pour se couler dans
les marches lorsque la voix de Renelle la fige dans
son intention.*

RENELLE, *faiblement* — Reste là.

*Très lentement, la Zarzaise modifie son attitude,
pour regarder à nouveau sa sœur.*

LA ZARZAISE, *soudain, après un temps, avec sa voix
rauque* — Chiâle pas, Renelle. Pourquoi que tu
chiâles ?

*Renelle fait non avec la tête, essaye de contenir
ses larmes, mais n'en pouvant plus, elle s'abat
sur la Zarzaise qu'elle entoure de ses bras, et
sanglote.*

RENELLE — On pourra pus te garder avec nus autres.
Va falloèr que tu partes.

*La Zarzaise se redresse brusquement pour étrein-
dre Renelle, s'ancrant à elle dans un geste de
frayeur.*

RENELLE — Que tu partes...! Tu suite. *(Elle caresse
le visage apeuré.)* Si des choses pareilles viendraient qu'à se savoèr, c'est qui te resterait comme avenir? *(Temps bref. Elle commence en reni-
flant, à lui enlever les papillottes.)* Même avec une
grosse dot, y a pas une communauté qui te pren-
drait. *(Pause.)* Et pis nus autres... on vit pus!
(La Zarzaise la regarde.) Renelle aurait pu mourir
c'te nuitte, Zarzaise! Et pis Paula que t'aimes
tant...

LA ZARZAISE — Robartine, elle?

RENELLE — Lucile pis Robartine itou... on va être
oubligées de te placer avant que ça nous arrive.

*La Zarzaise se serre encore contre Renelle dans
un mouvement de panique.*

LA ZARZAISE, *sauvage* — Je veux pas.

RENELLE — Quoè c'est qu'on peut faére d'autre,
avec toé? ...La semaine passée, c'était le char,
hier la remise... As-tu calculé que le vent pouvait
jeter a flâmme su'a méson?

LA ZARZAISE — Y ventait même pas!

RENELLE, *après un soupir de découragement* — Veux-
tu me dire pour commencer ce qu'y t'a pris de sortir de même en pleine nuitte? Quand y a du monde
à méson, tu sais pourtant ben que t'es supposée
de rester dans le grenier?

LA ZARZAISE — Lucile est arrivée avec la Sovagesse, pis a m'a faite descendre dans chambre à
Robartine.

RENELLE — Ouais. Mais a t'a dit de pas grouiller jusqu'à ce qu'a vinssît te remettre dans le grenier.

LA ZARZAISE — Ej voulais, rester!

RENELLE — Ah oui? Pourquoè que t'es pas restée?

LA ZARZAISE — Robartine criait trop.

RENELLE — Tu pouvais pas l'entendre des chambres! Avec el train que menaient es bûcherons en bas.

LA ZARZAISE — Pour le sûr, que je l'ai entendue: les bûcherons sont partis, betôt apras, voèr el feu au village... A silait comme un chien à porte l'hiver.

RENELLE — C'est pour ça que t'as sorti?

LA ZARZAISE — Ej voulais allumer le feu da Saint-Jean pour guy réchauffer le cœur.

RENELLE — Pour ça, t'as mis le feu à remise!

LA ZARZAISE — C'est pas moé!

RENELLE — Zarzaise! Viens pas me dire au moins que c'est pas toé. Quand je sus t'allée erconduire la Sovagesse, je t'ai trouvée en contemplâtion devant a remise qui flambait.

LA ZARZAISE — J'ai rien que voulu faére un feu de copeaux, c'est toute!

Renelle lève les yeux au ciel. Puis elle se met à peigner la fillette, tournant les anglaises sur ses doigts.

LA ZARZAISE — Où ce qu'y sont astheure, vos bûcherons?

RENELLE, *morne* — Sont allés prendre la fraîche dans le croche da riviére.

LA ZARZAISE — Y se baignent?

RENELLE — Ça leu ferait pas de tort. Avant qu'y

partent, Lucile leu-z-a fait accrocher leu linge su'a corde pour el l'éventer.

LA ZARZAISE, *se levant* — Ben, s'y sont pas icitte, m'as pouvoèr commencer le repassage.

RENELLE, *l'air découragée* — C'est ça... (*Un temps. La Zarzaise fait mine de se lever.*) Bouge donc pas une menute... (*Elle lui boutonne sa robe.*) C'est qu'on va faére avec toé, dans le monde? C'est ben triste à dire, mais a seule solution qu'y va peut-être nous rester... c'est l'âsile.

LA ZARZAISE, *criant* — Non!

RENELLE — La seule solution. — Hormis que...

Elle lève la main dans un geste d'incrédulité.

LA ZARZAISE — Non! (*Elle pleure.*)

RENELLE — Je voés guére qu'une chance qui pourrait nous épargner c'te peine-là: que la mére réussisse à te faére rentrer au couvent c't'été.

LA ZARZAISE — Pas chez es pisseuses du village?

RENELLE — Non. En ville.

LA ZARZAISE, *séchant ses larmes* — Je serais dans un couvent en ville?

RENELLE — Oui. Tu sarvirais es autres sœurs. Dans un cloêtre. Mais c'est loin d'être faite, hein! Les sœurs font leu-z-enquête avant.

LA ZARZAISE, *après un court temps de réflexion* — C'est moé qui ferait revirer el tour, pour envoèyer leu manger aux sœurs qu'ont pas a parmission de voèr el monde?

RENELLE — C'est ça. Tu serais touriére. C'est un beau métier.

Elle lui passe dans les cheveux un ruban de couleur vive, assorti à sa toilette.

109

LA ZARZAISE — Pis quand y resterait pus de manger, c'est moé qui sonnerait a cloche pour que le monde da ville nous apporte leus restes?

RENELLE — Ouais. — Tu t'occuperais du jardin itou... ça te le dirait-y?

LA ZARZAISE — Je sais pas!

On entend le bruit d'un camion qui s'approche, puis stationne près de la maison.

LA ZARZAISE — Quand c'est qu'a revient?

RENELLE — Moman?... On l'attend su' a fin d'apros-midi. A doét ben voèyager aujourd'hui, tout est farmé en ville.

LA ZARZAISE — Même les sœurs?

RENELLE — A dû voèr queques communautés hier. Pis magasiner apras.

LA ZARZAISE — Oh! A va-t-y me rapporter de quoè?

RENELLE, *ayant achevé sa coiffure, la regardant* — Ben sûr, mon pitou.

Les anglaises sautent autour du visage de la fillet-te, que ces préparatifs ont grandement enlaidie.

PAULA, *entrant dans la maison par la galerie couver-te; elle porte sa robe-soleil* — Oooh! Si a l'est belle, un peu, ma Zarzaise, avec ses boudins! *(À Renelle.)* Est donc ben sarnée?

LA ZARZAISE — C'est rapport que j'ai pas dormi.

RENELLE, *cherchant quelqu'un d'autre derrière Paula* — Vous êtes ervenus?

PAULA, *mystérieuse* — Y a des nouvelles pour toé!

RENELLE, *se levant* — Comment? Ça marche pas?

PAULA — Jos va te les dire. *(Elle regarde vers l'inté-*

110

rieur.) Y a dû arrêter tinquer un petit coup...
(Fort.) Jos!

RENELLE — Ah! Laisse-lé faére. Fas-moé pas lan-
guir!

LA ZARZAISE — D'où c'est que tu reviens, Paula?

PAULA — Jos pis moé, on a été mener es bûcherons
à riviére.

LA ZARZAISE — Avec el troque? Y ont embarqué
dans boête? *(Paula fait signe que oui avec la tête,
en l'examinant.)* Qu'y faisent ben attention à eux
autres: quand y lâchent la pitoune à l'écluse en
haut, a descend vrai.

PAULA — Pourquoi qu'a l'a pas dormi, ma Zarzaise?
Avait-y peur des rats?

LA ZARZAISE — C'est pas tant es rats qui me faè-
saient peur de ce que je craignais que vous passiez
toutes bord en bord du plancher!

PAULA, *à Renelle* — C'est vrai que les bûcherons
ont gigué, pis tiré de la jambette, pis viraillé
jusqu'aux petites heures.

RENELLE — Comme d'accoutume!

PAULA, *à la Zarzaise* — Fallait ben te renfarmer.
C'est qui t'aurait surveillée? T'es pus laissable
une menute.

RENELLE — Dis-moé donc es nouvelles! Vinyenne!

PAULA, *regardant par la porte* — Je voés Jos qu'arrive. — Robartine... Comment c'est qu'a file?

RENELLE — A quasiment pus de saignement... Tu
sais qu'a l'a de la chance d'avoèr tombé su'a
Sovagesse.

PAULA — A pleure-t-y encore?

RENELLE — On demande pas.

PAULA — A va s'épuiser!

RENELLE — Finira ben par s'endormir... *(Elle lève un doigt.)* contente. Quand a réalisera le bonheur qu'a l'a de pas être pognée comme tant d'autres, pour el restant de son règne...

LA ZARZAISE — Robartine, quel temps fait-il? A braille.

PAULA, *à La Zarzaise* — Ma Zarzaise, a l'a-t-y pleuré, quand Renelle l'a mis dans cave c'te nuitte?

RENELLE, *plaidant* — Où c'est que tu voulais que j'a mette? D'abord, c'était pus pensable da laisser dans le grenier: Robartine était ben que trop à l'envers.

Jos entre, son verre à la main. On le regarde.

JOS, *s'exclamant* — Well, girls! Out with the flags: here comes the parade!

RENELLE, *bondissant* — Hein? Ça se peut pas! T'avais d'l'aèr si peu sûr de ton coup hier soèr...

PAULA — Ben apparence que ça marche. C'est-y assez pour toé?

RENELLE, *un cri de joie sauvage* — Ah!... *(Elle se jette dans les bras de Paula.)*

PAULA — Moé non plus, m'as te dire, j'y crèyais pus pantoute...

RENELLE, *incrédule* — La parade est pas en marche à l'heure qu'il est?

JOS — No. Not yet, but...

PAULA, *le coupant* — Y sont en train de passer le gréleur dans es crans! On es a vus!

JOS — S'y passent el gréleur, c'est pour planer le chemin.

PAULA — S'y planent el chemin... c'est pour que les chars allégoriques se fassent pas trop bardasser!

112

RENELLE, *libère un autre cri, de triomphe cette fois —*
Ah!... Les maudits colons! Je les voés d'icitte
dans leus clos, se relever de leus patates pour
ergârder passer el gréleur un jour chômé, la bouche grande ouvarte.

*Décrochant une casquette pendue quelque part à
un clou, elle se l'enfonce sur les yeux et mime
grossièrement, en écartant les jambes, le cultiva-
teur penché sur son travail, qui se redresse dans
l'étonnement, les reins cambrés.*

PAULA — Attends rien qu'y voèyent pointer a parade.

*Paula attrape la casquette et, l'enfonçant à son
tour, mime le paysan qui regarde, au loin, appro-
cher le défilé et qui, n'en croyant plus ses yeux,
tombe assis par terre. Rires frénétiques. Renelle
saute dans les bras de Jos et l'embrasse.*

LA ZARZAISE — On peut-y décorer astheure?
RENELLE, *à Jos, n'osant pas encore le croire* — On
peut-y pour de vrai, là?
JOS — Mon idée... que oui!

*Les filles se ruent sur les boîtes et en sortent
des dizaines de drapeaux de toutes grandeurs
qu'elles lancent et font tourbillonner jusque dans
la cour.*

PAULA — El plus grand, on va te le parcher su'le
vire-vent. La parade vont le voèr de loin, vrai
comme ej m'appelle Premont.
RENELLE — Les Chevaliers de Colomb vont ben revirer leu jaunisse avant d'arriver sus Magloère!

113

PAULA — Mais qu'y aparçoèvent tous es Blokes da place, astheure, su'a galerie en train de se taper su'es cuisses... Attends-toé d'en voèr une couple envaler leu dentier!

RENELLE — Pis nous autres, on sera là parmi es bosses da Compagnie, à manger des pinotes pis à cracher nos écales dans le chemin!

PAULA — Avec les bûcherons qui vont être chauds!

RENELLE — Ouais! C'est su'leus genoux qu'on va être assis.

LA ZARZAISE, *rauque* — Et pis moé? Je vas être renfarmée dans cave, comme de réson?

RENELLE — Avec ta belle robe? Où c'est que t'as es esprits? Tu vas être su'a promiére ligne, ma Zarzaise: dans es marches da galerie; que tout le monde te voèyent! Y ont-y assez dit que t'étais bâtarde, pis que t'étais demeurée? Faut que tu soèyes là pour rire d'eux autres en pleine face.

PAULA, *tâchant d'attirer l'attention de Renelle par derrière la Zarzaise* — Tss, tss! *(À Renelle qui la regarde, elle fait signe que non.)*

LA ZARZAISE — Ah! Que ça va être plaèsant! Ah! que j'ai hâte.

RENELLE — J'y pense, tout d'un coup, Zarzaise... Tu verrais ben mieux du petit balcon. Parsonne te cacherait... Su'a galerie, ça va se bousculer.

PAULA, *pour influencer la Zarzaise* — Pis en haut, les ceuses da parade la manqueront pas encore ben moins!

LA ZARZAISE — Ça fat rien, j'aime mieux être en bas.

RENELLE — Pis qui c'est qui va tenir compagnie à Robartine? Pauvre Robartine.

LA ZARZAISE — Pas moé.

JOS — No problem. M'en vas m'occuper da petite, moé. Hey, sweet heart? I'll keep my eye on her... Handle her properly. (Il s'approche.)

PAULA, lui barrant le passage — Toé, mon gros malvenant! C'est que je t'ai dit?

JOS, sur un autre ton — Hey! Things' ll be different from now on, in here!

PAULA — Un instant, chose!

JOS, prenant Renelle à témoin — Renelle?

RENELLE — Yes... He's right... But he'll be reasonnable, too, won't he?

JOS — Comme ça, quand vient el temps de payer le bill, c'est pus pareil?

PAULA — Payer quoé?

RENELLE, après un moment d'embarras — Je vas toute vous expliquer, tout arranger. Only wait till the parade is over. Zarzaise, c'est que t'attends? Va vite accrocher es drapeaux!

Elle l'encourage à rassembler les décorations.

PAULA, à Renelle — Tu y doès des redevances?

RENELLE — Ben!

PAULA — A quoi tu t'es engagée?

JOS — Pas jusse elle, hein. Toute le monde.

PAULA — C'est vrai?

RENELLE — La parade, c'était pas rien que pour mon fonne à moé.

PAULA — Tu nous a pas demandé notre idée.

RENELLE — Ça pressait. J'avais pas le temps.

PAULA — La mére, penses-tu qu'a va accepter es obligâtions que tu guy as faites?

JOS — She'll have to.

115

PAULA — T'as connais mal, mon gros. A prend rien que ce qui fait not'affaére.

RENELLE — Justement. On va s'amancher pour qu'un chacun trouve son profit dans combine. Y a moyen.

PAULA, *désignant Jos* — En attendant, y touchera pas à un cheveu da petite.

JOS — Est-y en chécolat, comment?

PAULA — Toé, t'es drôle rien quand tu fais pas exiprès.

RENELLE, *protestant contre le soupçon* — Y a jamais été question da petite entre lui pis moé!

PAULA — J'aime autant.

JOS, *tranchant* — Promiére chose, je veux pus de cachettes. I want to know everything... sur elle *(Il désigne la Zarzaise qui sort chargée des décorations.)* pis su' l'autre. *(Il pointe le doigt vers le plafond.)*

RENELLE — Y a pas grand mystère, franchement. Hein, Paula?

PAULA, *que le ton dominateur de Jos a choquée* — De quoè c'est qu'y se mêle, c'ti-là?

JOS — Plus qu'a sont rétives, plus qu'y a d'agrément à es dompter. *(De la main, il menace Paula.)*

PAULA, *détachant les syllabes* — Asseye-toé jamas, mon écœurant! Tu sais pas à qui ce que t'as affaére!

Jos et Paula se défient un moment des yeux. Puis Jos se met à rire en ouvrant les bras à la fille.

JOS — Ah! Toé! Bougraisse de petite haguissable!

Paula s'approche de lui, jette un bras autour de son cou et l'embrasse pendant qu'elle lui serre la cuisse de sa main libre.

RENELLE — On a d'autre chose à faére que de se chicaner une journée pareille. Faut décorer, faut se remettre dans boustifaille...

PAULA — Jésomme! C'est pourtant vrai que t'as invité es Anglas à monter. Et pis mes tartes que j'ai pas trouvé moyen de faére hier...!

RENELLE — On se rendra pas loin avec mes six poulats. Les bûcherons ont déjà étanché le ragoût... L'idée de Lucile, c'était de faére un gros bouilli, mais on a pas es affaéres pour.

PAULA — Y mangeront des œufs pis des grillades. Seront tejours pas pire que dans es chanquiers.

RENELLE — Ouais, mais es boss, à soèr?

PAULA — La spécialité da méson, c'est pas a table.

JOS — J'ai des nouvelles pour vous autres, les filles: dans es chanquiers, la couquerie est autrement plus appétissante que che vous.

RENELLE — C'était d'y rester!

PAULA, *pendant que Jos essaye de placer son mot* — Arrête donc de quiquer, pour une foès. — Pis va me décorer a méson comme faut. Que ça aye l'aèr de fête.

RENELLE — Pis la petite?

PAULA — Tu vas guy aller avec eux autres.

LA ZARZAISE, *entrant* — Devinerez jamas qui c'est qu'arrive? A fine épouvante, avec el cheval caille pis a voèture noère qui pète des flammèches su' a gravelle?

PAULA — Mais... C'est l'attelage au boucher ça?

RENELLE, *au fond du solarium, dans la fenêtre de côté* — C'est en plein lui: el Ti-Beu qui s'amène!

PAULA, *près de Renelle* — Ah! ben, c'est pas ordinaère! Partir avec la voèture au bonhomme!

La Zarzaise sort à la course par la maison, et Jos la suit.

RENELLE — Apparence... qu'y te trouve de son goût lui aussi.

PAULA — Lui aussi! Arrête donc de faére simple. Pars arjoindre les deux autres à place. J'aime pas ça quand c'te escogriffe tourne autour da Zarzaise.

RENELLE, *soudain, attrapant Paula par le coude* — Je sus sorieuse, là, Paula. C'est le temps de te rappeler Robartine, ce qu'y est arrivé... A n'est jamas revenue.

PAULA — Chose! C'est un enfant!

RENELLE — Y sait ce qu'y veut, en t'es cas.

PAULA — Profite donc de ce que l'Anglas est pas encore saoûl pour guy faére arrimer le grand drapeau. Moé, je vas m'occuper da boucherie. D'abord toé, rien que de voèr da viande el cœur te lève.

RENELLE — C'est quand qu'une fille se méfie pas, qu'a s'embourbe dans es sentiments.

PAULA — Les sentiments! C'est pas ça qui l'intéresse, lui! *(Elle jette un coup d'œil à la fenêtre.)* Quiens. Le v'là, le moèneau.

RENELLE — Y apporte-t-y son jambon?

PAULA — Y a besoin.

RENELLE — Tâche de prendre su'toé. El monde du village, oublie-lé jamas, y pensent rien qu'à une affaére: nous casser l'échine. Après le coup qu'on

118

est en train de leu monter, y auront pus assez de tous leus crocs pour mordre.

PAULA, *la regardant* — Tu te ronges les sangs pour vrai, hein? Bon. Ben m'as te le dire: ce gars-là, je m'en soucie comme d'une pomme de route. S'y est prêt à nous ac'moder, je veux ben y faére du bon... mais rien de plus. Correct?

RENELLE — Correct.

PAULA, *la poussant pour qu'elle parte* — Laisse-les pas tout seu' eux autres. Vas-y.

Au cours des dernières répliques, Ti-Beu est apparu, et s'est avancé en lançant des tyroliennes sur le trottoir de bois. Plus faraud que jamais, il monte les marches conduisant au perron, et frappe.

PAULA, *fort* — Donnez-vous donc a peine d'entrer, Monsieur Chose.

TI-BEU, *entrant* — Salut tout le monde! (*Il est ébloui de soleil et plisse les yeux pour mieux voir.*) Quand y fait des chaleurs de même, c'est dans le plus creux qu'y faut aller charcher es belles truites.

RENELLE — Et pis ça te prend un vinyenne de gros vers au boutte de ton hain pour es faére mordre!

TI-BEU — On a peut-être ce qu'y vous faut.

PAULA — Tu te dédis pas, toé: tejours une belle façon.

TI-BEU — Pis paré à rendre sarvice!

RENELLE, *à Paula* — Pour fenir, sais-tu qu'y est pas déplaisant?

Elle se rend, près de la glacière, à un rayon au mur, et y prend un œuf dans un panier pour

119

ensuite le battre dans un bol en y ajoutant du lait et du sucre.

TI-BEU — Ça serait-y un effet de vot'bonté... de me dire c'est que vous avez besoin en fait de viande?

PAULA — Ça dépend. Si c'est pour faére marquer ou ben... *(Elle regarde Renelle avec agacement.)*

TI-BEU — Vot' crédit est-y bon?

PAULA — Parsonne a jamas eu à s'en plaindre. *(Avec un signe de tête pour la chasser.)* Renelle!

Renelle fait mine qu'elle partira lorsqu'elle aura terminé.

RENELLE, *insinuant avec ironie* — Paraîtrait que la route est pus planche qu'hier?

TI-BEU — Pus planche?

RENELLE — El gréleur est pas passé?

TI-BEU — Ah! C'est donc le gréleur! Me semblait itou... D'accoutume, on pogne plus de trous dans c'te chemin-là que les Anglas su'le golf du Townsite. Assez qu'on reste surpris au boutte de pas payer a taxe d'amusement.

Paula et Renelle échangent un regard.

PAULA, *n'en croyant pas ses oreilles* — À part ded ça? Y a rien de neu au village?

TI-BEU, *se récriant* — Rien de neu? Hier, y est venu un troque da voèrie saésir les quatre machines à boules de la salle de pool!

PAULA — Comment ça?

TI-BEU — C'est défendu de jouer à l'argent.

RENELLE — Ça fait quatre ans que c'tes machines à boules-là sont à l'hôtel!

120

TI-BEU — Ouais, mais es élections s'en viennent, là. Pis Gaudreault, c'est rouge comme une crête de coq.

Un temps bref. Ti-Beu s'éponge le front avec un large mouchoir à pois. Renelle a l'air perplexe.

PAULA, *avec une pointe de malice* — Et pis, che vous sont ben?

TI-BEU — Che nous me parlent pus, Mam'zelle.

PAULA — Y t'ont ben prêté a voéture...

TI-BEU — Pensez-vous! Je me sus poussé avec.

RENELLE, *bas, à Paula qui l'interroge du regard* — Tu voés ben qu'y asseye à nous faére marcher.

PAULA — Sus Chabotte t'ont pas fait de trouble, toujours?

TI-BEU — Quand j'ai dételé hier soèr, sus Chabotte étaient toutes partis voèr el feu.

Il se rend au meuble en forme de bahut qui sert de glacière d'appoint.

TI-BEU, *de là-bas* — Vos résarves baissent vrai! Vous deviez pas être fâchées de me voèr ersoudre?

PAULA — Sais-tu que t'as de l'aèr au-dessus de tes affaéres?

TI-BEU — Je pensais trouver a méson toute pavoèsée...

RENELLE, *vivement* — On commençait justement... On est-y en retard?

TI-BEU — En retard? A cause?

PAULA, *à Renelle, lui montrant la porte de la maison* — Si tu guy vas pas, moé m'as y aller.

RENELLE — Je vous laisse, là, je vous laisse. D'abord, faut que je monte son lait de poule à Robartine.

121

Elle sort, très préoccupée. Ti-Beu la regarde.

TI-BEU, *sur un autre ton* — Mam'zelle Robartine euh… ça m'a de l'aèr sorieux sa maladie…?

PAULA — Seule chose que je peux te dire, la mére che nous serait pas partie si a l'arait pas été oubligée.

TI-BEU — Est-y partie pour longtemps?

PAULA — Pas supposé. Lucile est allée l'attendre à stâtion des chars.

TI-BEU — Y donnez-vous du pénequelleur?

PAULA — À Robartine?

TI-BEU — Paraît que c'est un remède méchant à pren-dre, mais ben bon da maladie.

PAULA — La maladie qu'a l'a, c'est pas le pénequel-leur qui peut en venir à boutte.

TI-BEU — Si vous avez pas assayé…

PAULA, *bas, touchant son cœur à lui* — C'est de là qu'à l'est malade.

TI-BEU, *impressionné* — Ah!

PAULA — Ça fait cinq ans qu'a traîne la patte.

TI-BEU — Cinq ans! Faut que ça soèye grave. Au moins, est pas, euh… consomptive?

PAULA, *horrifiée* — Perds-tu le nord? Une peine d'a-mour qu'a l'a eue.

TI-BEU — Ah!

PAULA — Robartine… est senzitive dans ce qu'y a de plus senzitive.

TI-BEU — A s'est donc jamas consolée qu'a pleure encore?

PAULA — De son type? T'as connas pas. Est Premont vrai, elle. Pire que moé encore. Quand une affaére est fenie, y a pus de revenez-y.

TI-BEU — Pourquoè c'est qu'a pleure tant, d'abord?

PAULA — Pour te montrer comment ce qu'a l'est...
Du jour qu'y ont emmené Armand Chalifour à
Valcartier, a pus jamas voulu toucher une note de
piéno. Pus jamas! Pis c'est elle qui jouait a mieux!

TI-BEU — Chalifour? Y a pas de Chalifour par icitte...

PAULA — C'est des genses qu'ont quitté a place depuis. (L'œil soupçonneux.) Tu connas c't'histoère-
là aussi ben que tout le monde!

TI-BEU, niant — Parole d'honneur!

PAULA, après un regard scrutateur — C'est vrai que
dans une famille où ce que le pére est Chevalier
de Colomb, y a des affaéres chatouilleuses qu'on
parle pas devant es enfants.

TI-BEU — Demandez-vous apras pourquoi qu'on s'en-
nuie tant.

PAULA, amère — Sartain, ça. Y a-t-y rien pour se
changer es idées comme de passer es autres au
peigne fin?

TI-BEU, patinant — Vot'euh... vot'... Je peux-t-y
savoèr vot...commande?

PAULA — Ben, oui. C'est que t'as à nous offrir dans
viande?

TI-BEU — J'ai a voéture pleine à porte. Allez-y.

PAULA — Torbinouche! Tu fais es choses en grand,
toé.

TI-BEU — S'y faut que je prenne une souince à méson,
autant que ça soèye pour quèque chose.

PAULA — Ça c'est parler en monsieur! Prêt, pas prêt
j'y vas. Un beau gros rôti de porc, gras mais pas
trop, du boudin... une pièce de beu qui ferait des
belles tranches et pis... ben, ma commande d'hier:
de la graisse de panne avec des viandes hachées.

TI-BEU — La fesse de jambon, elle ?

PAULA — Et pis la fesse, ben sûr.

TI-BEU — Ej sors vous qu'ri tout ça.

Mais son attention est retenue par la Zarzaise qui entre, penaude.

PAULA — C'est qu'y a ma Zarzaise ?

LA ZARZAISE — C'est Renelle, là...

PAULA — Quoi donc ?

LA ZARZAISE — A veut pas que j'aéde à Jos avec les drapeaux.

PAULA — Pauvre Zarzaise, va. Reste donc au ras moé. *(Elle la serre contre elle.)*

LA ZARZAISE — A dit que je sus-t-habillée propre pis que je vas me salir.

TI-BEU, *à Paula* — C'est pus que des toélettes, aussi !

PAULA — Rentre-moé tout ça. Si le garde-manger fait piquié tant que tu dis, tu vas nous le regrèyer.

TI-BEU, *tirant son carnet* — C'est-y pour faére marquer, euh...

PAULA, *regardant autour d'elle, baisse la voix* — Faudrait s'entendre su'le prix.

TI-BEU — Ça va faére pas mal de marchandise...

PAULA — Crains pas. Si je veux un sarvice... régulier dans boucherie, c'est que j'ai es moyens de me l'offrir.

TI-BEU — Vous êtes en plein le genre de prospèque que je charche. *(Il va sortir. Désignant la Zarzaise.)* Pourquoè c'est faére vous l'avez déguisée de même ?

La Zarzaise paraît s'inquiéter de sa tenue.

124

PAULA — C'est-y que tu voudrais toé aussi te mêler de nous dire quoi faére?

TI-BEU — Je sus un peu de la méson, astheure?

PAULA — Non.

TI-BEU, *accusant le coup* — Ah! ben, si c'est comme ça...

PAULA — Reste pas en balan dans porte, chose. Décide-toé.

TI-BEU — Si je pars avec la viande?

PAULA — Je sus pas allée te charcher par la main.

LA ZARZAISE — A m'a amanchée comme catho, je suppose?

Elle va à l'armoire, ouvre la porte, et se regarde dans un miroir suspendu au revers.

PAULA — Ben non. T'es belle en masse. Renelle a réson: faudrait que tu te déchanges pour travailler. Pis moé aussi comme de faite. (*Elle retire son boléro.*)

LA ZARZAISE — C'est vrai que je sus-t-encore plus lette que de coutume.

PAULA — Moé, je vas rouler ma pâte, pis toé, si t'es fine, tu vas donner un petit coup de fer à ma robe rouge.

LA ZARZAISE — Ta belle robe rouge toute effalée?

PAULA, *fait signe que oui* — M'as a mettre pour a parade.

La Zarzaise se penche dans l'armoire pour récupérer son bocal de mouches et, au cours des répliques suivantes, elle fera de nouvelles captures.

PAULA, *comme pour elle-même, évasant sa robe-soleil* — Pis je fas mieux d'ôter c'telle-là tu suite, si je

125

veux pas l'enfariner. *(Elle s'approche de Ti-Beu et lui tourne le dos.)* Me baisserais-tu mon zippeur?

TI-BEU, *avec fièvre, pendant qu'il tâche gauchement de s'acquitter* — J'ai ben manque pensé à vous c'te nuitte. J'ai pas farmé l'œil.

PAULA — Je t'ai pas vu, au feu...

TI-BEU — J'avais pas a tête à ça!

PAULA — Attends, m'a relever mes jeveux. Ça va-t-y mieux de même?

TI-BEU, *troublé* — C'est pas tant que ça soèye malaisé, mais... j'ai comme el boutte des doègts qui pique.

PAULA, *se tournant vers lui en le frôlant* — Montre donc? *(Elle lui prend la main.)* Aye! T'as ben es mains froèdes? *(Elle pose la main de Ti-Beu sur son épaule nue, la promène à la base de son cou.)* Quasi autant comme ta glace hier. *(Ti-Beu se laisse faire sans bouger.)* Je me trompe-t-y, ou ben te v'là moins faraud?

TI-BEU — Euh... ertournez-vous, m'as vous dégrafer.

Elle reprend sa position. Ti-Beu glisse la fermeture-éclair. Temps. Son geste demeure suspendu.

TI-BEU, *très ému* — Vous euh... Vous sentez bonne effrayant!

Paula ôte sa robe et le regarde.

PAULA — Je sus pas une tricheuse, moé. On a faite un marché, nos deux. Fais ta part, m'as faére la mienne.

TI-BEU — Quand? Quand?

Prenant soin de tourner le dos à la Zarzaise, elle pose sa main sur le pantalon de Ti-Beu.

PAULA — Pas plus tard que tantôt, si tu veux.

TI-BEU, *voix basse* — Tantôt? Vous aurez pas le temps.

PAULA, *rapide* — El yâbe emporte les tartes !

TI-BEU, *cherchant un appui, défaillant* — Les chars allégoriques s'en viennent. Je les ai dépassés.

PAULA, *s'exclamant* — Quoi?

TI-BEU, *faiblement* — La parade s'en vient ! .

PAULA — Saint-Simonac! Tu pouvais pas le dire avant? Me v'là quasiment pâmée... (*Elle s'oriente du côté de la porte.*) Renelle!... (*À Ti-Beu.*) T'es sûr, là? Tu me brodes pas des histoères?

TI-BEU, *affermi* — Je rentre vot'commande, pis je monte voèr la parade avec vous dans vot' chambre.

PAULA — En v'là, un aplomb !

TI-BEU — Savez-t-y ce que ça veut dire pour moé d'être che vous apros-midi? Savez-t-y ce que le pére va faére quand y voèra sa charette à porte icitte?

PAULA — Y va faére « ouf» pis y va s'écraser dans poussiére des chemins avec sa belle cape noère. Pis sa grande épée va faére «clic, clic» dans gravelle.

TI-BEU, *indigné* — Risez pas, c'est pas drôle !

PAULA, *avec un clin d'œil* — En t'es cas, je sais pourquoè astheure que che vous t'appellent Ti-Beu. (*Elle hoche la tête en signe d'appréciation.*)

TI-BEU, *reprenant l'air faraud* — Attendez de voèr la suite ! (*Montrant le plafond.*) Je pourrai-t-y, euh...

PAULA — Je sens que j'aurai pas le cœur de te dire non. (*Le visage de Ti-Beu s'illumine.*) Mais euh... Amène donc a viande que je me faise l'idée à ça.

TI-BEU — Okay d'ok !

*Il sort à toute vitesse et disparaît en direction de
la voiture. Paula le regarde sortir. Puis elle se
dirige vers la maison en criant.*

PAULA, *sa voix s'éloigne dans la maison* — Jos!...
Retourne vite charcher tes bûcherons! La parade
s'en vient!... Re-nelle! Où ce que t'es... Es-tu
avec Robartine?

*La Zarzaise continue à faire des prisonnières pour
son bocal. On entend le camion démarrer et
s'éloigner.*

LA ZARZAISE, *capturant une mouche sur son avant-
bras* — Fat chaud. Les mouches collent. *(Elle
mire le bocal à la lumière, avec satisfaction.)*
C'est rendu qu'y a du monde autant comme che
nous la nuitte. *(Elle s'assied sur une chaise et se
perd en rêveries.)* Es-tu déjà venu proche des
clôtures, dans es cerisiers où ce que es chenilles à
tente font leu nique? Tu pognes deux branches
dans es mains, pis... ouiche! *(Elle fait le geste
d'écarter les deux branches.)* tu leu déchires leu
tente. *(Elle sourit.)* Là, ça gigote... Paraît que
c'est tassé de même en ville... *(Un temps. Elle
étend les bras, et semble planer.)* Moé, je sus-t-un
mange-poule qui vole dans l'aèr, pis qui guette les
rats. Que j'en voèye pas un! Autrement j'y
darde mes griffes pis j'y déchire la peau en trois,
quatre lèses ça de large. *(Elle lève soudain le bocal
devant ses yeux.)* Pensez pas que vous allez le
faére cuire pis le manger. Parce que vous l'aurez
rien que pas. Vous autres, vous allez continuer
à expier jusqu'à mort.

Ti-Beu entre avec plusieurs paquets dans les bras, quelques-uns enveloppés dans du papier-journal et ficelés, les autres dans du coton à fromage. Sur la main gauche, il porte fièrement la pièce de porc, celle-ci à découvert.

La Zarzaise se jette brusquement sur Ti-Beu en essayant de lui prendre la pièce de viande. Il tente de la dérober à ses efforts.

TI-BEU — Quelle lubie qu'y vous pogne, encore?

La Zarzaise réussit à faire choir à terre la pièce de viande et se précipite dessus, y enfonçant les ongles comme des serres. Ensuite, accroupie, elle regarde aux alentours avec les yeux d'un animal qui craindrait qu'on le dépossède. Ti-Beu demeure un instant immobile. Alors la Zarzaise prend la pièce de viande dans ses dents, et s'enfuit en l'emportant jusqu'à un coin sombre du solarium où elle s'accroupetonne pour tourner entre ses mains la pièce de porc.

Ti-Beu prend sur la lessiveuse le bâton que la Zarzaise plonge parfois dans le bac et s'approchant prudemment, il avance l'objet dans sa direction comme s'il pensait qu'elle allait mordre... Mais la Zarzaise continue de tourner la pièce de porc entre ses mains, et il décide, à demi-rassuré, de poser le bâton et d'aller jusqu'à l'armoire froide pour y ranger ses paquets.

LA ZARZAISE, *jetant à terre la pièce de viande* — Maudit navo! T'as même pas vu que j'étais un araignée! Tu pensais que j'étais un renard, ou be donc un carcajou, ou be donc un chien enragé, je sais pas trop... T'es pas zouave ben ben! (*Ti-Beu se retourne, et la regarde ahuri.*) Parce que j'ai pas de toèle, ça veut pas dire que je sus pas un araignée! Je peux être un faucheux. T'as jamas vu un faucheux de ta vie?

TI-BEU — Donnez-moé le rôti de porc, que je le serre au frette.

LA ZARZAISE, *le lui lançant violemment* — Quiens! le v'là ton rôti de porc!

La Zarzaise revient à ses mouches, leur chuchotant des imprécations pendant que Ti-Beu la regarde. Paula entre, l'air songeuse, une boîte de métal dans les mains, qu'elle pose sur la table. Puis elle se dirige vers l'armoire froide, ouvre l'une des portières, en sort une boule de pâte, enveloppée d'un linge qu'elle défait. Elle la pose sur la table, sort d'un tiroir le rouleau à pâtisserie...

TI-BEU — C'est qu'y se passe? Vous allez faére vos tartes?

Paula, les yeux lointains, ouvre la boîte cylindrique, saupoudre la table de farine...

TI-BEU, *moralisant par dépit* — Semer le trouble de même dans paroèsse on sait ben, ça peut pas porter bonheur.

PAULA — Aye ça va faére. Slaque!

Elle pétrit la pâte dans ses mains et regarde devant elle.

TI-BEU — Vot'viande est rentrée. Toute.

PAULA — T'es ben d'adon. Marci.

Elle dépose la motte de pâte et l'étend au rouleau.

TI-BEU — Vous faut pas d'autre chose?

PAULA — Non.

TI-BEU — Rapport à ce qu'on disait tantôt...

PAULA — Comment?

TI-BEU — Vous vous souvenez pas, euh...?

PAULA — Ah! oui... *(À la Zarzaise.)* Zarzaise, t'as pas entendu a nouvelle?

LA ZARZAISE — Quoi?

PAULA — Rentre el linge des bûcherons. Y arrivent, là pour voèr les beaux chars allégoriques. Dépêche-toé!

La Zarzaise emporte rapidement l'un des paniers d'osier sur le perron et s'empresse de dégarnir les cordes à linge.

PAULA, *à Ti-Beu* — Si t'arais été fin pour deùx cennes, tu nous arais ramené des tagdays du vingt-cinquième anniversaère pour tout le monde.

TI-BEU — Vous avez le vot' au moins?

PAULA — Je vas le passer à Lucile, tu donneras le tien à Renelle. Nos deux d'abord, on va regarder ça de dedans ma chambre.

TI-BEU, *avec un tremblement de reconnaissance* — Ah! Oui?

PAULA — Et pis après... *(Elle lui adresse un sourire prometteur et se rend jusqu'au seuil de la maison.)* Cout'donc, rendu que tu dérougis pas d'icitte, tu m'équeuterais-t-y mes fraèses?

TI-BEU — Pas de soin.

Elle sort.

LA ZARZAISE, *sur le perron, empilant les vêtements dans le panier, à Ti-Beu* — Ça, c'est peut-être toutes des déguisements. *(Elle le regarde. Il hausse les épaules avec mépris.)*

TI-BEU — Vous vous pensez...

LA ZARZAISE, *le coupant avec autorité* — Chut! *(Elle dresse l'oreille en direction de la maison.)* Entends-tu? ...On dirait... On dirait a voix de Lucile... pis...

Soudain, la Zarzaise laisse tout en plan et traverse au galop le solarium pour disparaître dans la maison.

LA ZARZAISE, *criant* — Moman! Moman! *(Sa voix s'éloigne.)* Que c'est que vous m'avez rapporté?

Ti-Beu dont la curiosité est éveillée, la suit vers la maison dans laquelle il a tout juste le temps, poussant la porte entrebâillée, de plonger un regard. Tout de suite en effet, il s'éloigne car il aperçoit Paula qui refoule la Zarzaise dans le solarium.

PAULA, *que sa voix précède* — Tu parleras à moman tantôt, Zarzaise. A l'a pas le temps, là. Est montée direct voèr Robartine.

LA ZARZAISE, *marchant secouée par la contrariété* — Eh! maudite marde!

PAULA, *dans la porte* — Amène-moé el linge des bûcherons. *(À Ti-Beu, lui tendant deux jattes.)* V'là es fraèses *(Désignant le perron.)* Installe-toé dans es marches. Tu ch'tras es queues en dessour da galerie pour nous garder propres. *(Aidant la Zarzaise, qui achève de remplir le panier d'osier.)*

Erviens pas dans méson, ça sert à rien. Commence à plier le linge d'hier, si tu veux que moman soèye contente.

LA ZARZAISE — Je veux savoèr mon cadeau, bon!

PAULA — Y est dans le coffre du char avec les bagages. Tu l'auras tantôt.

Paula disparaît avec le panier de vêtements. Ti-Beu s'est installé dans les marches et a commencé d'équeuter les fraises. La Zarzaise, bougonne, tire des draps et des serviettes d'une immense corbeille.

LA ZARZAISE, *bas, à chaque pièce qu'elle lance devant elle* — Je me marie, je me marie pas, je fais une sœur: je me marie, je me marie pas... *(Elle s'interrompt brusquement, demeure un moment songeuse, puis se met à plier du linge.)* Les sarviettes, c'est ben correct. Mais es draps... je peux tejours pas es plier tu seule. J'ai pas trente-six mains.

Paula entre, l'air grave. Elle apporte une pile d'assiettes à tartes, en métal. Elle se remet à sa pâte.

PAULA, *à Ti-Beu qui la regarde* — Je sus pas inquiéteuse de nature, mais y se brasse de quoi du côté de Robartine qui me chicote.

TI-BEU — Ah! Oui?

PAULA, *bas, pour éviter que la Zarzaise l'entende* — A l'a encore pardu connaissance.

TI-BEU — Encore?

PAULA — Tantôt, quand t'arrivais... Renelle y monte son lait de poule: a trouve étendue su'le plancher.

Pis a pris pas mal de temps à reviendre à elle.

LA ZARZAISE, *qui a compris qu'on parlait de Robartine* — Robartine, a pas de maladie. Est jusse febe.

TI-BEU — A repris ses sens, tejours ben?

PAULA — Renelle s'est embarrée dans le grenier avec, pis dret que la mére est arrivée, y l'ont appelée en haut. *(Concluant.)* Je sus t'inquiète!

Un temps. La Zarzaise prend un drap, l'étend devant elle, et s'en recouvre.

TI-BEU — C'est tejours pas par icitte que vous avez eu c'tes fraèses-là?

PAULA — Es-tu fou? La nége vient juste de fondre.

TI-BEU — Aye! C'est pas nécessaire d'exagerer.

PAULA — Des foès, je me demande ce que le pére venat faére dans le boutte. Maudites concessions!

TI-BEU — Paraîtrait que la Crise a amené ben du monde el long da Masqouabina.

PAULA — Che nous sont venus avant. Not'pére était dans construction, el moulin partait... Y a dû se dire qui tomberait dans une bonne tale.

TI-BEU — Y a queques belles mésons de briques, dans paroèsse.

PAULA — Ben, el Townsite, pour commencer. Pis le couvent de Sainte-Tharèse de Wapouchwian. N'empêche que Robartine était déjà grande quand y sont arrivés.

TI-BEU — Ah! Oui?

PAULA, *rêveuse* — A l'a eu une belle éducâtion, elle... *(Reprenant le fil.)* El pére, che nous, y est justement parti d'icitte parce qu'y voulait pas faére la queue à porte da banque à pitons.

TI-BEU — N'importe. La banque à pitons, c'était ben c'mode pour es ceuses qui restaient.

PAULA — Parlons-en! Nus autres, les soutanes nous ont assez joué dans es cheveux qu'on a fini par être débarquées da liste des secours directs. *(Un temps.)* À ce moment-là la mére pensait encore que Robartine serait maîtresse d'école... *(Plus bas.)* Ça, ça été une drôle de plonge!...

TI-BEU, *pour la sortir de ses pensées sombres* — Je pensais que vous étiez ben pressées de faère cuire da viande?

PAULA — Astheure que v'là Lucile ervenue... La cuisine, c'est plus son domaine à elle, rendu qu'a touche quasiment pas au ménage... *(Redevenue songeuse.)* Ouais. Là on n'a pris une rôdeuse de débarque, les filles à Magloère. Mais la mére nous disait: « El pire est faite, astheure...» C'était vrai. El pire était faite... Un moment denné, Robartine était pus a même. A se promenait dans des robes trois couleurs, comme su'es boêtes de chécolats Moirs... J'étais pas ben grande pour savoèr ce qui arrivait... Et pis queques années plus tard, j'ai entendu a mére y dire qu'a courait après es poques... A jouait du piéno, les yeux dans le beurre, quasiment à journée longue... La conscription est arrivée. Ce coup-là, on a compris. Robartine est venu le cœur toute nâvré: son gars avait pris le bord du bois. Ben, je te dis que ça pas pris goût de tinette que Robartine apprenait où ce qu'était a cabane. Pis qu'a y allait. En raquettes au besoin... Quequ'un du village a feni par vendre el gars a Police Montée...

TI-BEU — Ah! Ben, ça c'est pire! A'vous su qui c'était, le couillon?

PAULA — Robartine l'a su.

TI-BEU — Et pis?

PAULA — Et pis nus autres, on l'a jamais su.

TI-BEU — Vendre quequ'un de sa propre paroèsse!

PAULA — Robartine a appris qui c'était, pis que c'te personne-là faésait le marché noèr avec les habitants.

TI-BEU — Aye! Mais a l'aurait pu le faére pincer!

PAULA — Su un chieux de temps!

TI-BEU — Pourquoi qu'a l'a pas faite?

PAULA — Est de même.

TI-BEU, *après un temps* — A pus jamais revu le galant?

PAULA — Erlancer un gars au Camp Valcartier?

TI-BEU, *après un temps* — L'armée l'ont-y envoèyé l'autre bord?

PAULA — Sais pas! Mais Robartine elle, a ben manqué y passer de l'autre bord.

TI-BEU — Tant que ça?

PAULA, *baissant la voix* — Y guy avait laissé un souvenir en partant...

TI-BEU — Bonjour de la vie!

PAULA — Avait faite exiprès, elle itou, tu comprends ben.

TI-BEU, *un peu perdu* — Ah! Oui?

PAULA, *le regardant surprise* — Ben quiens! Surtout qu'a pris ben garde de s'en vanter... Heureusement que la mére che nous a l'œil clair.

TI-BEU — C'est qu'a l'a faite?

PAULA — Est allée qu'ri a sorciére.

TI-BEU — La Sovagesse da résarve l'autre bord?

PAULA — En connas-tu une autre?

TI-BEU — Pourquoé faère la sorciére?

PAULA — Ah! ben, toé, par asampe! T'es resté enfant de chœur pas ordinaère. Je sus-t-y pour te faére un dessin? *(Elle se retourne, s'inquiètant tout à coup de savoir si la Zarzaise a suivi l'entretien, chuchotant.)* Aye! Garde-moé donc a petite: est rare!

De son drap, la Zarzaise a enserré son front jusqu'aux sourcils, pour cadrer de blanc son visage comme celui d'une religieuse.

PAULA, *s'exclamant après avoir ri* — Bon Yieu de Sorel! C'est d'guy voèr l'accoutrement! *(À la Zarzaise.)* Sais-tu qu'en sœur tu seras pas pire que les autres? *(À Ti-Beu, sans ironie.)* Y en a que plus y en cachent, mieux que c'est.

TI-BEU, *commentant la tenue légère de Paula* — C'est pas de même pour un chacun.

PAULA, *avec un sourire, achevant de découper un fond de tarte* — Toé! Tu vas prendre el tour ça sera pas long!

Elle quitte la table et se rend à la fenêtre donnant du côté de la route pour regarder au dehors.

TI-BEU — Je sus pas si enfant de chœur que vous pouvez crère.

PAULA — Je te place, moé, crains pas. L'homme qu'a vu l'homme qu'a vu l'ours.

TI-BEU — Ouais? Ben vous allez rester surprise tantôt.

PAULA, *se retournant* — On verra ben... En attendant, avance donc dans es fraèses. *(Elle revient à la fenêtre.)*

TI-BEU, *changeant de ton, désignant la Zarzaise* —
C'est-y vrai qu'a va faire une sœur?

PAULA, *avec le sourire de la bonne nouvelle* — Ben
sartain. Hein, Zarzaise?

LA ZARZAISE — Ouais. Je vas p't'être ravoèr des
apparitions.

PAULA — Aye, recommence-nous pas c'te petit jeu-là
par asampe. *(À Ti-Beu.)* Te dire comme a nous a
fat peur avec ça!

TI-BEU — Peur?

PAULA — On craignait tejours de tomber su son
apparition! Moé, ça me rendait archi-narveuse!

TI-BEU, *protecteur* — Oh! C'est pas dangereux.

PAULA — Surtout, comprends-tu, on tremblait qu'a
aille colporter a grand nouvelle su le monde. Tu
voés l'aèr qu'on aurait attrappé?

TI-BEU — C'est rien ça. Si l'apparition aurat ordonné
de construire un sanctuaère à place da méson?

PAULA — Aye! Fin-fin, rendu tu restes avec nus autres à soèr, tu pourrais peut-être ben dételer?
Ton cheval est là, à se morfondre au gros soleil...

TI-BEU, *confus de trop de bonheur* — Ah! C'est euh...
Je sus euh...

PAULA — Quoi?

TI-BEU, *coupant court* — Marci euh... M'as dételer.

PAULA — Surtout que là, la voéture va être dans
es jambes da parade. T'a pousseras le long du
chemin.

TI-BEU — Je peux-t-y a mettre dans votre entrée de
cour?

PAULA — Encore. *(Absorbée par la fenêtre.)* Quiens!
Je crés que je voés le troque à Jos, là-bas...

TI-BEU, *rembruni* — Lui, y fait mieux de pas venir piocher dans mes ravages...

PAULA, *s'exclamant* — Oh! C'est jaloux en plus, gârde donc ça!

TI-BEU — Autrement, y va prendre une de ces fouilles!

PAULA, *appréciant* — Ouais... Vous êtes ben toutes les mêmes, hein? Dret que vous avez un pied dans porte, faut que toute passe. *(Avec un sourire enjoleur.)* Qu'est ce ça va être... après?

TI-BEU, *rougissant, détourne les yeux vers la Zarzaise. Désignant cette dernière* — J'avais idée que vot'mére haguissait es sœurs...

PAULA, *s'exclamant* — Haguir? C'est pas le mot; a pourrait es écrapoutir. En seulement, quoé faère avec un être de même? La mére a pour son dire qu'au couvent, une foès qu'a l'aura disparue, elle, la Zarzaise aura un toèt su a tête.

TI-BEU — C'est pas fou.

Paula fait une mimique pour signifier: «je ne te le fais pas dire», puis elle revient à la fenêtre.

PAULA, *excitée* — Entends-tu?

TI-BEU *écoute, puis se lève* — La fanfare da garde paroèssiale!

Un temps.

PAULA, *bouleversée, se retournant vers lui, comme démunie* — J'aras envie de... de grimper dans es rideaux, de faére je sais pas quoé, de crier... Mais y a rien de ça qu'est assez pour ce que je sens.

Ti-Beu entre dans le solarium, et vient tout près d'elle. Elle lui prend la tête dans ses mains.

PAULA, *bas* — Toé, c'est pas pareil, on peut pas t'haguir comême qu'on voudrait... mais tous es autres, là. Tous es autres!... C'est aujord'hui, comprends-tu qu'on se revenge des saloperies qu'y nous ont faites!...

Ti-Beu, la voyant comme hors d'elle-même, ose enfin la prendre dans ses bras et la serrer contre lui. Elle paraît s'abandonner et il l'embrasse pendant que les fanfares commencent en effet de se faire entendre au loin. Renelle entre, et s'arrête à contempler la scène.

RENELLE, *sèche* — Paula.

Paula la regarde, surprise du ton. Elle prend la main de Ti-Beu. Et la remet sur sa taille.

RENELLE — C'est parce que tu sais pas qui c'est, que tu te laisses licher a face par ça. Quand tu soras, ma fille, tu vas être assez écœurée que tu vas cracher, pis que tu vas t'essuyer a bouche.

Paula regarde Ti-Beu. Celui-ci paraît atterré, mais sans rien comprendre.

PAULA — C'est que tu veux dire? Modère tes transports.

RENELLE — El cochon qu'a vendu el gars à Robartine en '43, sais-tu qui ce que c'est?

PAULA, *les yeux brillants* — Qui? Tejours ben pas lui! Robartine a fini par el dire?

RENELLE, *montrant Ti-Beu* — T'es-tu demandé pourquoè c'est faère qu'a tombait dans es pommes chaque foès qu'a voèyait c't individu-là rentrer che nous? Quand je guy ai dit que Ti-Beu Barrette

140

en avait après toé, a pas pu se contenir, tout a sorti.

PAULA — Finis par el lâcher: qui c'est qu'a vendu Armand Chalifour?

RENELLE, *dévisageant Ti-Beu* — Son pére, el boucher.

Paula marque un temps. Ses traits se durcissent. Puis elle se tourne vers Ti-Beu, lui arrache son papillon du vingt-cinquième anniversaire qu'elle remet à Renelle. Ensuite, reculant d'un pas, elle pousse Ti-Beu hors de son passage, avec une telle violence que celui-ci tombe à la renverse dans un panier de linge.

PAULA — Ote-toé de mon chemin. Décrasse. *(Sur le seuil de la maison.)* Maudite race de monde!

Elle sort.

RENELLE — Qu'on te revoèye pus rôder autour da méson. *(Sans prêter attention à elle.)* Viens-t-en Zarzaise. Viens voèr la parade.

Elle emboîte le pas à Paula.

La Zarzaise, recouverte de son drap, les yeux au ciel, garde depuis quelque temps les mains jointes dans une attitude recueillie. Elle paraît n'avoir rien remarqué de ce qui s'est passé autour d'elle.

Ti-Beu se relève du panier d'osier comme abasourdi. Il regarde la Zarzaise qui demeure immobile, la porte où vient de disparaître Paula... Puis il se rend à la fenêtre. La fanfare approche. Il revient sur ses pas, l'air déboussolé. À ce mo-

141

ment, la Zarzaise écarte les bras et se tourne vers Ti-Beu.

LA ZARZAISE — Je pense que je sus fin prête là, pour ma méto... métomarphose.

Sous le regard ahuri de Ti-Beu, elle enlève un soulier, puis l'autre, puis ses bas, tâche de se défaire de sa robe... Mais ses équilibres maladroits manquent faire glisser le drap de ses épaules et la forcent de s'interrompre pour fixer son costume avec des épingles à linge.

Paula revient alors, vêtue de sa robe rouge, se dirige d'un pas coléreux vers l'armoire froide, l'ouvre, et lance au milieu de la place les paquets que Ti-Beu y avait logés.

PAULA, *glaciale* — On voudrait pas que ta viande vinssît empoèsonner not'manger. Rapporte donc ça avec toé, si ça te fait pas de différence.

Paula rentre, laissant Ti-Beu complètement égaré, les paquets de boucherie à ses pieds. Mais bientôt, l'attention de Ti-Beu est à nouveau captée par la Zarzaise. Les musiques du défilé se rapprochent. On croit reconnaître «Auprès de ma blonde». Des coups de klaxons, beaucoup plus près, annoncent l'arrivée d'un véhicule. Paula reparaît dans la fenêtre en train de fixer ses boucles d'oreilles.

PAULA, *à Ti-Beu* — Envoèye, mouve! Attends pas que je mette les Anglas da Compagnie apras toé. *(Elle disparaît dans la maison. On entend encore sa voix qui s'éloigne et se perd.)* Welcome, gentle-

142

men! Ayeayeaye! Ça c'est de la visite rare! Oh! Frankie. Thank you so much for the strawberries... Let's sit on the porch. On the porch, please. It'll be here any moment, now.

Ti-Beu ne l'entend pas. Il fixe la Zarzaise qui, lui tournant le dos, remue sous son drap comme pour quitter sa robe. Il suit avec passion tous les gestes de la fillette qui jette à côté d'elle sa robe, puis abandonne du linge sur le sol.

LA ZARZAISE — Là, ma grand travarse achève. Je m'en viens a plus belle *(Elle enroule ses bras sur elle, refermant le drap. Puis elle avance vers Ti-Beu. Elle a suspendu des épingles à linge sur son front en guise de parure, et sur toute la longueur du drap.)* Astheure, guette ben, je m'en vas déplier mes ailes... pis c'est là que vous allez voèr!

Les fanfares se taisent sur la fin de la mélodie. Elle écarte les bras, et se découvre à Ti-Beu. Celui-ci la contemple avec ahurissement et demeure interdit. Elle s'approche.

LA ZARZAISE — Miroèr, réponds-moé, miroèr. Qui c'est qu'est a plus belle dans le canton?

TI-BEU, *la voix brisée de désir* — Promenez-vous pas de même... euh.

LA ZARZAISE — Miroèr, réponds! *(Ti-Beu se lève, vient près de la Zarzaise, tend les mains comme pour la saisir, mais hésite et referme sur elle le drap. La Zarzaise se découvre à nouveau.)* Miroèr, t'es pas capable d'endurer l'aveuglement de ma beauté, hein? Chaque bord du chemin, attends voèr el monde faére des files pour me regarder passer!

Elle quitte Ti-Beu et s'avance vers l'escalier exté-rieur. Ti-Beu la rattrape et la pousse vers le fond obscur du solarium. Le drap glisse des épaules de la fillette. Alors Ti-Beu la jette à la renverse et tâche de monter sur elle. Corps à corps prolongé où l'on n'entend ni parole, ni cri, mais que des halètements furieux. Puis, à la fin, les sanglots de la Zarzaise. Ti-Beu se lève, rajustant ses vêtements. Quand il revient en lumiè-re, son visage témoigne d'un complet ahurisse-ment. Au bout d'un moment, il s'affole et, comme égaré, cherche la sortie. Il bute quasiment contre Renelle qui sort de la maison. Celle-ci lui jette à peine un regard importuné.

RENELLE, *agrafant le papillon du 25e anniversaire à sa nouvelle robe, crie à la cantonnade* — Jos? C'est pas vrai! *(Elle se précipite à la fenêtre qui donne du côté de la route. La fanfare de la garde paroissiale attaque, plus proche encore de nous, un «Vive la Canadienne» éclatant.)* C'est de les voèr, les fous, battre la mesure dans boète du troque! *(Elle passe sans le regarder près de Ti-Beu et rentre. On l'entend crier, au loin.)* Mo-man! Dépêchez-vous!

Au fond du solarium, la Zarzaise s'agite dans son drap, s'en entoure à nouveau, se lève, puis vient vers Ti-Beu d'une démarche toute heurtée, cour-bée en deux, les mains au bas-ventre. On peut alors apercevoir que le drap est maculé d'une lar-ge tache de sang.

LA ZARZAISE, *regardant droit devant elle, d'une voix étranglée* — Tu m'as faite mal, maudit verrat! *(Elle demeure immobile un long moment, et Ti-Beu de même. Tout à coup, s'exclamant, sourde.)* Une sauterelle! *(Elle se penche et marche sur ses genoux jusqu'au point qu'elle a désigné. Puis baissant la tête jusqu'au plancher, elle lève une main moulée en coque, et l'abat tout soudain. Alors elle colle sa joue contre le sol, lève un doigt pour observer la sauterelle prisonnière et chuchote, à intervalles.)* Donne-moé de la melasse ou ben je te tue. Donne-moé de la melasse ou ben je te tue. Donne-moé de la melasse ou ben je te tue.

Ti-Beu considérant que la Zarzaise n'irait peut-être pas se plaindre, commence à envisager la possibilité de faire disparaître les traces du viol. Il va chercher la robe, la tend à la fillette: elle ne regarde même pas. Il s'agenouille auprès d'elle, essaie de la lui enfiler.

LA ZARZAISE, *le menaçant des ongles de sa main libre* — Si tu me fas perdre ma sauterelle en plus, je sais pas ce que je te fais.

Alors il plie le drap. Tâche de le dissimuler sous sa chemise... Mais il abandonne l'idée et recouvre à nouveau la fillette. Réfléchissant, il aperçoit la jatte de fraises dans l'escalier. Saisi d'une inspiration soudaine, il court la prendre et revient s'accroupir près de la Zarzaise.

LA ZARZAISE — Donne-moé de la melasse ou ben je te tue.

TI-BEU, *tout bas, suggestif* — Okay, tu serais a plus belle toé?... Comme tantôt. Et pis moé, je serais ton miroèr... Hein?

LA ZARZAISE, *après un regard à Ti-Beu, revient à sa sauterelle* — Donne-moé de la melasse ou ben je te tue.

TI-BEU, *approchant une fraise de la joue de La Zarzaise* — Ta bouche est de la même couleur... C'est vrai, avant ta métomarphose, t'étais lette, mais à c'te heure, je me demande ben c'est qui s'est passé... Sais-tu que t'es pas pire pantoute? *(La Zarzaise lève la tête.)* Je serais le miroèr. Je te dirais: « T'es a plus belle, Zarz... *(Il se reprend.)* T'es a plus belle... *(Il hésite.)* Blanche-Nége. En seulement, faut que tu te caches... rapport qu'une vilaine sorciére court apras toé pour t'empoèsonner. »

LA ZARZAISE, *se redressant* — Faut donc que je me cache?

TI-BEU — Le faut.

LA ZARZAISE — Autrement je rencontrerai pas le prince charmant jamais au grand jamais?

TI-BEU — Déguise-toé: a pourra pas te reconnaître!

LA ZARZAISE — M'as me déguiser, ouais. — En quoè?

TI-BEU — En lette. Déguise-toé en lette, comême t'es a plus belle! Mets c'te robe-là, quiens, tu seras sûre!

LA ZARZAISE, *avec un sourire* — Okay.

Elle revêt la robe.

TI-BEU — Bon, ben à c'te heure, tu serais endormie su' le dos... icitte mettons, pis es plus beaux

146

types du pays viendraient te donner des becs pour
te réveiller.

LA ZARZAISE — Ben comment qu'y vont m'arcon-
naître? Rendu que je sus déguisée en lette!

TI-BEU — C'est ben simple: on va mettre des fraèses
pour es attirer. Ça manquera pas, c'est a promiére
ramasse de l'année. Arrivés icitte, quand y auront
mangé quequess fraèses, y vont t'enligner pis y vont
dire: « Ooooh! Regârde donc ça: une princesse
pardue qu'est tombée de fatique!»

LA ZARZAISE — Ah! oui! Pis là, y vont se mettre à
me donner des becs.

TI-BEU — T'auras en belle à choèsir. Penses-y: faut
pas que tu te réveilles avant que le prince charmant en parsonne te donne son bec.

LA ZARZAISE — Nenon. C'est ben sûr. *(Ti-Beu en
parlant dispose le drap près d'elle, puis il invite la
fillette à s'étendre.)* C'est que m'as faére avec ma
sauterelle? *(Elle lui braque son poing sous le
nez.)*

TI-BEU — Donne-moé-la.

LA ZARZAISE, *méfiante* — Est pas accoutumée
déhors. Faut que tu l'emmènes avec toé pis que
tu guy donnes à manger che vous.

Ti-Beu prend la sauterelle.

LA VOIX DE PAULA, *au loin* — Lucile! Descends
voèr la robe de moman!... A se trouve pas à son
goût avec. A veut savoèr ton idée.

TI-BEU, *pressant* — Bon, ben couche-toé, pis farme
tes yeux.

Il sème les fraises sur le drap.

147

La Zarzaise ferme les yeux et croise les mains sur sa poitrine. Ti-Beu se lève, regarde autour de lui, ramasse sa pince à glace et se glisse au-dehors. Un temps s'écoule. La fanfare maintenant toute proche se tait. La Zarzaise demeure immobile. Puis, imperceptiblement tout d'abord, un son — chant ou plainte — monte de ses lèvres et devient peu à peu discernable.

LA ZARZAISE — Je sus pas Blanche-Nége, sorciére épeurante!
Je sus à fille à Magloère Premont, el briqueleur,
Je sus pas Blanche-Nége-les-sè'-nains...
La fille au briqueleur
À dort en-dessous da lune
Qu'est comme une cenne neuve...
Passe ton chemin,
Sorciére épeurante.

RENELLE, *entre et trébuche sur le corps de la Zarzaise. Dans un cri* — Moman! Que c'est que t'as inventé là encore, Zarzaise, veux-tu ben me dire? (*Se penchant, elle découvre les fraises étalées sur le drap.*) Ah! Non! Ça c'est le boutte! A l'a répandu es fraèses à terre! (*Avec un accent de désespoir.*) Tu rempires, ma foé du bon! Apras ça, manque pus rien que la danse de Saint-Guy! (*Scrutant le solarium.*) Hum! El gars de la glace a même pas eu le cœur de ramasser ses morceaux de vache enragée. Y viendront nous demander apras, les maudits habitants, pour coucher avec! (*La Zarzaise demeure immobile. Renelle prend le drap par les coins et le soulève.*) Sybole! El jus, ça tache à demeure, on rit pas.

Elle dépose le drap et les fraises sur l'entable-
ment de la fenêtre. En provenance de l'autre
extrémité de la maison parviennent des rumeurs
de voix nombreuses. Les bruits, en se rapprochant,
permettent de reconnaître confusément des voix
d'hommes.

LA VOIX DE JOS, *criant, de plus près* — Yew!
Renelle! Here they are. The whole bunch. C'mon,
ginger!

RENELLE, *étendant rapidement des linges sur les fonds*
de tarte, à la Zarzaise — Aye! Ermue-toé, j'ai
pus le temps de te trouver drôle. Tu vas monter
tu suite su'le petit balcon.

Renelle se dirige vers la glacière d'appoint et y
précipite rapidement les paquets de boucherie.
La Zarzaise reste sans mouvement.

LA ZARZAISE, *pour elle-même, immobile* — Y arrive...
C'est lui! Je sus sûre. Y est su a galerie au
travers des jobbeurs pis des bûcherons. Crains
pas que m'as le reconnaître quand y sera au ras
moé. En-dessour de son butin de lumber jack,
y sera habillé rien qu'en brillants... Tous es
deuses on va sortir de not' quecon... Pis on va
s'en aller d'icitte. Eh! qu'on va donc te les
sacrer-là toutes eux autres, dans leu saloperie.

RENELLE, *distraitement* — Oui, oui, c'est ça. Ramas-
se-moé es saloperies qui traînent, pis monte èn
haut, la parade passe... Ensuite ded ça, va dans
ta chambre. Lucile t'apportera du beau poulat,
betôt, pour souper.

149

Le jour baisse. Renelle passe les doigts à travers ses boucles, secoue sa chevelure, puis se dirige vers la porte de la maison. Machinalement, comme une consigne mille fois repetée.

RENELLE — Si quequ'un da visite t'adresse la parole, dis que t'es pressée, pis monte. Oublie pas de tourner a clé dans serrure. Débarre à parsonne écepté à une de nus autres, pis rien que quand c'est que t'auras erconnu not'voèx.

Renelle soupire et rentre. La chorale du frère Manzor entonne alors avec force « Notre-Dame du Canada ». La Zarzaise se dresse aussitôt sur son séant et tend l'oreille... Des voix au loin accueillent Renelle. Alors la fillette se lève, court jusqu'à la fenêtre, s'empare du drap en baluchon qui contient les fraises et dispose le tout comme avant l'intervention de sa sœur. Puis elle se recouche, et croise les mains sur sa poitrine avec un air de béatitude. Des cintres, en même temps qu'éclate Notre-Dame du Canada, descendent des drapeaux bleus à fleurs de lys, frappés au plein centre de la couronne d'épines.
Le noir se fait.

Québec, le 1er mai 1975.

FIN

TABLE

151

DANS LA MÊME COLLECTION

1. *Zone* de Marcel Dubé, introduction deMaximilien Laroche, 187 p.
2. *Hier, les enfants dansaient* de Gratien Gélinas, introduction de Jacques Laroque, 159 p.
3. *Les Beaux dimanches* de Marcel Dubé, introduction de Alain Pontaut, 187 p.
4. *Bilan* de Marcel Dubé, introduction de Yves Dubé, 187 p.
5. *Le Marcheur* d'Yves Thériault, introduction de Renald Bérubé, 110 p.
6. *Pauvre amour* de Marcel Dubé, table ronde: Alain Pontaut, Gil Courtemanche, Zelda Heller, Maximilien Laroche, 161 p.
7. *Le Temps des lilas* de Marcel Dubé, introduction de Maximilien Laroche, 177 p.
8. *Les Traitants* de Guy Dufresne, introduction de Guy Dufresne, 176 p.
9. *Le Cri de l'Engoulevent* de Guy Dufresne, introduction de Alain Pontaut, 123 p.
10. *Au retour des oies blanches* de Marcel Dubé, introduction de Henri-Paul Jacques, 189 p.
11. *Double jeu* de Françoise Loranger, notes de mise en scène d'André Brassard, 212 p.
12. *Le Pendu* de Robert Gurik, introduction de Hélène Bernier, 107 p.
13. *Le Chemin du Roy* de Claude Levac et Françoise Loranger, introduction de Françoise Loranger, 135 p.

153

155

ACHEVÉ D'IMPRIMER SUR
LES PRESSES DES ATELIERS
MARQUIS DE MONTMAGNY
LE 12 SEPTEMBRE 1975 POUR
LES ÉDITIONS LEMÉAC INC.